2025年度版

TAC税理士講座

税理士受験シリーズ

41

消費税法

理論マスター

JN002218

TAC出版
TAC PUBLISHING Group

は じ め に

消費税法は、税理士試験において基本的重要事項から応用的事項まで幅広く出題されるようになってきた。そこで本書は最小の努力で最大の効果を生むように受験上最低限必要な理論だけを収録した。

本書に収録された問題で、本試験に出題可能性のある範囲を９割以上カバーしている。この一冊を完璧にマスターすれば、理論問題に関しては楽に合格に達することができるので、次の利用法を守ってしっかり身に付けてほしい。

（本書は令和６年７月現在の施行法令に準拠している。）

《本書の利用法》

1.　内容の理解に努めること

2.　暗記した後に覚えているか書いて確認すること

3.　解答のスピードを身に付けること

ＴＡＣ税理士講座

本書を使用する際の注意点

1　テーマについて

法体系の確認がしやすいように、各理論問題については、テーマごとに分けて収録し、各テーマをページの上部に表示してあります。

また、各理論問題は、各テーマに属する枝番号（1－1等）で表示してあります。

法令の体系的な学習（応用理論対策等）に役立ててください。

2　ランクについて

各理論問題について、その科目を学習する上での重要度（ランク）を、理論問題のタイトルの横に表示してあります。

理論学習をする際の指針としてください。

ランクＡ　……　学習をするにあたって非常に重要度の高い理論問題
ランクＢ　……　学習をするにあたって比較的重要度の高い理論問題
ランクＣ　……　学習をするにあたって比較的重要度の低い理論問題

3　重要度について

各理論問題の中の各項目について、その理論問題の中での重要度を、項目のタイトルの横に表示してあります。

理論学習をする際の指針としてください。

◎　……　その理論問題の中で非常に重要度の高い項目
○　……　その理論問題の中で比較的重要度の高い項目
△　……　その理論問題の中で比較的重要度の低い項目

4　カッコ書きについて

本文中のカッコ書きについては、本文との区別がしやすいように文字の大きさを小さくして収録してあります。

まずはカッコ書きを除いて文章を確認し、その後、カッコ書きを付け足す形で確認をすると学習しやすくなりますので、参考にしてください。

5　条文番号について

各理論問題の中の各項目について、参照して頂く条文番号を表示してありますが、条文番号については暗記（解答）する必要はありません。

また、本書においては、法令の略式名称を使用しております。

凡　例

＜略式名称＞		＜正式名称＞
法	…………………………	**消費税法**
令	…………………………	**消費税法施行令**
規	…………………………	**消費税法施行規則**

6　点線枠について

消費税法は、上記のとおり「法、施行令及び施行規則」に分かれます。

本書上、点線枠で「施行令又は施行規則」を示しています。

なお、厳密に区分できない部分もありますので、その部分については枠囲みはしていません。

本試験対策等に役立ててください。

7　その他

参考　………各テーマの関連事項です。横断的に知識を整理し、理解を深めることができます。

プラスα　…少し応用的な内容ですが、押さえておくと理解が深まる項目です。

CONTENTS

目　　次

テーマ４：申告、納付、還付等

テーマ５：雑則、その他

消 費 税 法 理 論 体 系

課 税 の 対 象

- 法４条　課税の対象
- 法６条　非課税
- 法７条　輸出免税等
- 法８条　輸出物品販売場における輸出物品の譲渡に係る免税

納 税 義 務

- 原　則
  - 法５条　納税義務者
    - 法４条⑥　みなし引取りの規定により引き取る者となる者
    - 法３条　人格のない社団等
    - 法60条　国、地方公共団体等に対する特例
  - 法13条　実質判定
  - 法14条　信託財産に係る資産の譲渡等の帰属
  - 法15条　法人課税信託の受託者に関する消費税法の適用
- 免　除
  - 法９条①　小規模事業者に係る納税義務の免除
- 免除の特例
  - 法９条④　課税事業者の選択
  - 法９条の２　前年等の課税売上高による納税義務の免除の特例
  - 法10条　相続があった場合の納税義務の免除の特例
  - 法11条　合併があった場合の納税義務の免除の特例
  - 法12条　会社分割があった場合の納税義務の免除の特例
  - 法12条の２　新設法人の納税義務の免除の特例
  - 法12条の３　特定新規設立法人の納税義務の免除の特例
  - 法12条の４　高額特定資産を取得した場合等の納税義務の免除の特例

資産の譲渡等の時期

- 法16条　リース譲渡に係る資産の譲渡等の時期の特例
- 法17条　工事の請負に係る資産の譲渡等の時期の特例
- 法18条　小規模事業者等に係る資産の譲渡等の時期等の特例
- 法60条　国、地方公共団体等に対する特例

課　税　期　間

- 法19条　課税期間

納　　税　　地

- 法20条　個人事業者の納税地
- 法21条　個人事業者の納税地の特例
- 法22条　法人の納税地
- 法23条　納税地の指定
- 法24条　納税地指定の処分の取消しがあった場合の申告等の効力
- 法25条　法人の納税地の異動の届出
- 法26条　外国貨物に係る納税地
- 法27条　輸出物品販売場において購入した物品を譲渡した場合等の納税地

課税標準及び税率

- 法28条　課税標準
- 法29条　税　率

税　額　控　除

- 法30～37条の２　控除対象仕入税額
- 法38条、法38の２　返還等対価に係る税額
- 法39条　貸倒れに係る税額

控除対象仕入税額

仕入れに係る消費税額の控除

- 法30条　仕入れに係る消費税額の控除（原則）
- 法31条　非課税資産の輸出等を行った場合の仕入れに係る消費税額の控除の特例
- 法32条　仕入れに係る対価の返還等を受けた場合の仕入れに係る消費税額の控除の特例
- 法33条　課税売上割合が著しく変動した場合の調整対象固定資産に関する仕入れに係る消費税額の調整
- 法34条　課税業務用調整対象固定資産を非課税業務用に転用した場合の仕入れに係る消費税額の調整
- 法35条　非課税業務用調整対象固定資産を課税業務用に転用した場合の仕入れに係る消費税額の調整
- 法35条の２　居住用賃貸建物を課税賃貸用に供した場合等の仕入れに係る消費税額の調整
- 法36条　納税義務の免除を受けないこととなった場合等の棚卸資産に係る消費税額の調整
- 法37条、法37条の２　中小事業者の仕入れに係る消費税額の控除の特例
- 法60条　国、地方公共団体等に対する特例

申告、納付、還付等

- 中間申告
  - 法42条、法42条の２　課税資産の譲渡等及び特定課税仕入れについての中間申告
  - 法43条　仮決算をした場合の中間申告書の記載事項等
  - 法44条　中間申告書の提出がない場合の特例
  - 法48条　課税資産の譲渡等及び特定課税仕入れについての中間申告による納付
- 確定申告
  - 法45条　課税資産の譲渡等及び特定課税仕入れについての確定申告
  - 法45条の２　法人の確定申告書の提出期限の特例
  - 法49条　課税資産の譲渡等及び特定課税仕入れについての確定申告による納付
- 還付申告
  - 法45条　課税資産の譲渡等及び特定課税仕入れについての確定申告
  - 法46条　還付を受けるための申告
  - 法52条、法53条　控除不足額の還付
- 電子申告
  - 法46条の２、法46条の３　電子情報処理組織による申告の特例
- 引取申告
  - 法47条　引取りに係る課税貨物についての課税標準額及び税額の申告等
  - 法50条　引取りに係る課税貨物についての消費税の納付等
  - 法51条　引取りに係る課税貨物についての納期限の延長
- 更正又は決定
  - 法54条、法55条　確定申告等に係る更正等による控除不足額の還付
- 更正の請求
  - 法56条　前課税期間の消費税額等の更正等に伴う更正の請求の特例
- 申告義務等の承継
  - 法59条　申告義務等の承継

理論暗記にあたっての注意点

法令用語の中には、「慣用語」という特別な意味をもって用いられる言葉がある。条文の意味を正確に理解するためには、そうした「慣用語」について十分な知識をもっていることが要求され、理論の解答作成にあたっては、これを厳密に使い分ける必要がある。

(1)　「又は」・「若しくは」

「又は」と「若しくは」の意味は、どちらも選択的接続詞で、日常使用されている用法と大差はない。しかし、法令上の用語としては、厳格に使い分けられている。

①　「又は」の接続詞は大きい方に使う。

ＡかＢか、あるいはＡかＢかＣかというような単純・並列的な選択的接続の場合、「又は」が使われる。

（例）　「人格のない社団等　法人でない社団又は財団で代表者又は管理人の定めがあるものをいう。」（法２①七）

②　選択的接続が複雑な段階で連結する場合

ＡかＢかというグループがまずあって、これとＣというものを対比しなければならない場合は、小さい選択的連結に「若しくは」を用い、大きい選択的連結には「又は」を用いる。

……「A若しくはB又はC」となる。

（例）　「代物弁済による資産の譲渡その他対価を得て行われる資産の譲渡若しくは貸付け又は役務の提供に類する行為として政令で定めるものを含む。」（法２①八カッコ書）

(2)　「及び」・「並びに」

この接続詞は、どちらも併合的接続詞で、日常使用されている用法と大差はない。法令用語のうえでの使い分けは、次のとおりである。

①　「及び」は単一的併合に使う。

ＡもＢもというような普通の併合的な接続の場合、「及び」が使われる。

（例）　「課税標準及び税率」（テーマ２）

②　併合的接続が二段階になる場合

まず、ＡとＢをつなぎ、このグループとＣをつなぐという場合に「並びに」を使う。その使い方は、前例の「又は」、「若しくは」の場合と逆で、小さい方の連結に「及び」を使い、大きい方の連結に「並びに」を使う。

……「Ａ及びＢ並びにＣ」となる。

（例）　「資産の譲渡等　事業として対価を得て行われる資産の譲渡及び貸付け並びに役務の提供をいう。」（法２①八）

(3)　「場合」・「とき」

「場合」と「とき」は、ともに仮定的条件を示す言葉として用いられる。したがって、「場合」や「とき」が使われている条文の構成は、要件と効果の２つに大分することができる。

両者の差は、前提となる条件が２つ重なる場合には、大きな条件を「場合」で表し、小さな条件を「とき」で表すことになっている。

①　前提条件が１つの場合の用法

……「Ａという場合には、Ｂとする。」というように使う。

②　前提条件が２つの場合の用法

……「Ａという場合において、Ｂをしたときは、Ｃとする。」というように使う。

(4)　「その他」・「その他の」

法令上「その他」と「その他の」という言葉は、いずれも例示を挙げた場合に使用する字句で、条文上は区別して使われている。

①　「**その他**」という場合は、その字句のすぐ前の例示を含まないもので、並列的な例示を行う場合に使用する。したがって「その他」の例示を政令などで行う場合には、「その他」の前の例示は再び掲げられずに、これに準ずるものを例示する。

（例）　「前各号に掲げる金額の計算の基礎その他財務省令で定める事項」（法43①五）

この場合、「その他」は並列的な例示として使用されているので、「その他財務省令で定める事項」とは、前各号に掲げるものを含まない事項を意味している。

② 「**その他の**」という場合は、その字句のすぐ前に掲げられる例示を含むもので、包括的な例示を行う場合に使用する。したがって、「その他の」の例示を政令などで行う場合には、必ず「その他の」の前の例示もあわせて政令に掲げられることになる。

(例) 「棚卸資産　商品、製品、半製品、仕掛品、原材料その他の資産で政令で定めるものをいう。」（法２①十五）

この場合、「その他の」は包括的な例示として使用されているので、「その他の資産」とは、商品、製品、半製品、仕掛品、原材料はもちろんのこと政令でその全てが定められている。

(5) 「みなす」・「とする」

「みなす」・「とする」は、ともに一定の法律関係について生ぜしめる法律効果を確定する言葉である。両者の差異は、次のような点にみられる。

① 「**みなす**」は、元来性質を異にする２つの事物をある法律関係のもとでは同一視して、一方の事物に生ずる法律効果を他の事物についても生ぜしめることをいう。つまり「みなす」とは、「擬制的にそのように取り扱う」という意味であり、同一事物でないことの反証を一切認めない。

(例) 「次の行為は、事業として対価を得て行われた資産の譲渡とみなす。」（法４⑤本文）

② 「**とする**」は、本来そのように取り扱っておかしくない性質を有している事物について、「制度としてそのように決める。」という場合に主として用いられる。したがって、擬制的に取り扱う「みなす」と異なり、制度としてそのように取り扱うに十分な性質を有している。

(例) 「前項第二号の月数は、暦に従って計算し、１月に満たない端数を生じたときは、これを１月とする。」（法９③）

(6) 「者」・「物」・「もの」

① 「**者**」は、法律上の人格をもつ主体を指し、通常は自然人と法人の総称として用いられる。

② 「**物**」は、一般の法令と同様に、有体物の総称として用いられる。なお、税法上では、「目的物」といった表現のなかにおいて用いられることが多い。

③ 「**もの**」とは、「者」または「物」で表現することのできない抽象名詞や抽象的な存在を表現する場合に使用される。このほか、説明上の関係代名詞として「もの」が使用されることもある。

テーマ

1

総　　則

1-1 課税の対象

1．国内取引　重要度◎

(1) 課税の対象（法４①）

国内において事業者が行った**資産の譲渡等**（特定資産の譲渡等を除く。）及び**特定仕入れ**（事業として他の者から受けた特定資産の譲渡等をいう。）には、消費税を課する。

(2) 資産の譲渡等（法２①八、令２①～③）

① 定　義

事業として対価を得て行われる資産の譲渡及び貸付け並びに役務の提供（代物弁済による資産の譲渡その他対価を得て行われる資産の譲渡若しくは貸付け又は役務の提供に類する行為として一定のものを含む。）をいう。

② 範　囲

イ　資産の譲渡等に類する行為

(ｲ) 負担付き贈与による資産の譲渡

(ﾛ) 金銭以外の資産の出資

(ﾊ) 特定受益証券発行信託、一定の法人課税信託の委託者が金銭以外の資産の信託をした場合の資産の移転等

(ﾆ) 貸付金その他の金銭債権の譲受けその他の承継（包括承継を除く。）

(ﾎ) 不特定多数の者の受信目的である無線通信の送信で、法律による契約に基づき受信料を徴収して行われるもの

ロ　土地収用法等

土地収用法等に基づいて所有権等を収用され、権利取得者から補償金を取得した場合には、対価を得て資産の譲渡を行ったものとする。

ハ　付随行為

資産の譲渡等には、その性質上事業に付随して対価を得て行われる資産の譲渡及び貸付け並びに役務の提供を含むものとする。

(3) みなし譲渡（法４⑤）

次の行為は、事業として対価を得て行われた**資産の譲渡**とみなす。

① 個人事業者が棚卸資産又は棚卸資産以外の事業用資産を家事のために消費又は使用した場合におけるその消費又は使用

② 法人が資産をその役員に対して贈与した場合におけるその贈与

(4) 国内取引の判定（法４③④、令６③）

① 資産の譲渡等（特定資産の譲渡等を除く。）

次の場所が国内にあるかどうかにより行う。

イ 資産の譲渡又は貸付け

譲渡又は貸付けが行われる時におけるその資産の所在場所（船舶、特許権等については、一定の場所）

ロ 役務の提供（ハを除く。）

役務の提供が行われた場所（国際運輸、国際通信等については、一定の場所）

ハ 電気通信利用役務の提供

役務の提供を受ける者の住所等

ただし、その住所等がないときは、国外で行われたものとする。

ニ 金銭の貸付け等

貸付け等を行う者の事務所等の所在地

② 特定仕入れ

特定仕入れとして他の者から受けた役務の提供につき、①ロ又はハの場所が国内にあるかどうかにより行う。

ただし、一定の場合は、この限りでない。

2．輸入取引

重要度○

(1) 課税の対象（法４②）

保税地域から引き取られる外国貨物には、消費税を課する。

(2) みなし引取り（法４⑥）

保税地域において外国貨物が消費又は使用された場合には、その消費又は使用した者がその消費又は使用の時にその外国貨物を保税地域から引き取るものとみなす。

ただし、その外国貨物が課税貨物の原料又は材料として消費又は使用された場合等は、この限りでない。

国内取引の判定

1．資産の譲渡等（特定資産の譲渡等を除く。）（法４③、令６①～③）　重要度◎

(1) 資産の譲渡又は貸付け（法４③一、令６①）

国内取引の判定は、譲渡又は貸付けが行われる時におけるその資産の所在場所（次の資産は、それぞれの場所）が国内にあるかどうかにより行う。

① 船舶、航空機
　イ 登録のあるもの
　　登録機関の所在地（注１）
　　（注１）２以上の国で登録している船舶は、いずれかの機関の所在地とし、その他一定の場合にはその譲渡又は貸付けを行う者の住所地
　ロ 登録のないもの
　　譲渡又は貸付けを行う者の事務所等の所在地
② 鉱業権、租鉱権、採石権等、樹木採取権
　鉱区、租鉱区、採石場、樹木採取区の所在地
③ 特許権、実用新案権、商標権等（これらの権利の利用権を含む。）
　登録機関の所在地（注２）
　（注２）２以上の国で登録している場合には、権利の譲渡又は貸付けを行う者の住所地
④ 公共施設等運営権、漁港水面施設運営権
　公共施設等、漁港の所在地
⑤ 著作権等
　譲渡又は貸付けを行う者の住所地
⑥ 営業権、漁業権、入漁権等
　権利に係る事業を行う者の住所地
⑦ 次の資産
　イ 有価証券（ハ、ヘを除く。）･･･有価証券の所在場所
　ロ 登録国債･･･登録機関の所在地
　ハ 振替機関等が取り扱う一定の有価証券等又は持分（ロ、ヘを除く。）
　　･･･振替機関等の所在地（重複上場有価証券等にあっては一定の場所）
　ニ 一定の有価証券又は持分（ロ、ハを除く。）
　　･･･有価証券又は持分に係る法人の本店、主たる事務所の所在地等
　ホ 金銭債権･･･金銭債権に係る債権者の事務所等の所在地
　ヘ ゴルフ場利用株式等･･･ゴルフ場等の所在地
⑧ ①～⑦以外で所在場所が明らかでないもの
　譲渡又は貸付けを行う者の事務所等の所在地

(2) 役務の提供（(3)を除く。）（法４③二、令６②）

国内取引の判定は、役務の提供が行われた場所（次の役務の提供は、それぞれの場所）が国内にあるかどうかにより行う。

① 国内及び国外にわたって行われる旅客、貨物の輸送
　出発地、発送地又は到着地
② 国内及び国外にわたって行われる通信
　発信地又は受信地
③ 国内及び国外にわたって行われる郵便、信書便
　差出地又は配達地
④ 保　険
　保険事業を営む者の保険契約に係る事務所等の所在地
⑤ 専門的な科学技術に関する知識を必要とする調査、企画、立案等に係る役務の提供で生産設備等の建設又は製造に関するもの
　生産設備等の建設又は製造に必要な資材の大部分が調達される場所
⑥ ①～⑤以外で役務の提供が行われた場所が明らかでないもの
　役務の提供を行う者の事務所等の所在地

(3) 電気通信利用役務の提供（法４③三）

国内取引の判定は、役務の提供を受ける者の住所等が国内にあるかどうかにより行う。

ただし、その住所等がないときは、国外で行われたものとする。

(4) 金銭の貸付け等（令６③）

国内取引の判定は、貸付け等を行う者の事務所等の所在地が国内にあるかどうかにより行う。

２．特定仕入れ（法４④）

重要度◎

国内取引の判定は、特定仕入れとして他の者から受けた役務の提供につき、１(2)又は(3)の場所が国内にあるかどうかにより行う。

ただし、次の場合は、この限りでない。

イ　国外事業者が恒久的施設で行う特定仕入れ（注）のうち、国内において行う資産の譲渡等に要するものは、国内で行われたものとする。
　（注）事業者向け電気通信利用役務の提供に限る。

ロ　事業者（国外事業者を除く。）が国外事業所等で行う特定仕入れ（注）のうち、国外において行う資産の譲渡等にのみ要するものは、国外で行われたものとする。

テーマ1　総　則　　ランクA

1−3　非 課 税

1．国内取引（法6①、別表第二、令8、16の2）

重要度◎

国内において行われる資産の譲渡等のうち、次のものには、消費税を課さない。

(1) 土地（土地の上に存する権利を含む。）の譲渡、貸付け（貸付期間が1月未満の場合及び施設の利用に伴って土地が使用される場合を除く。）

(2) 有価証券（ゴルフ場利用株式等を除く。）、支払手段（収集品、販売用のものを除く。）その他これらに類するもの（以下、2において「有価証券等」という。）の譲渡

(3) 利子を対価とする金銭の貸付け、信用の保証としての役務の提供、公社債投資信託等に係る信託報酬を対価とする役務の提供及び保険料を対価とする役務の提供その他これらに類するもの

(4) 次の資産の譲渡

　① 日本郵便株式会社等が行う郵便切手類、印紙の譲渡

　② 地方公共団体又は売りさばき人が行う証紙の譲渡

　③ 物品切手等の譲渡

(5) 次の役務の提供

　① 国等が行う役務の提供で、その料金の徴収が法令に基づくもの

　② 裁判所の執行官又は公証人の手数料を対価とする役務の提供

　③ 外国為替業務に係る役務の提供

(6) 健康保険法等に基づく資産の譲渡等

(7) 次の資産の譲渡等

① 介護保険法に基づく居宅サービス等

② 社会福祉事業、更生保護事業として行われる資産の譲渡等（生産活動に基づくものを除く。）

(8) 医師等による**助産**に係る資産の譲渡等

(9) **埋葬料**、**火葬料**を対価とする役務の提供

(10) **身体障害者用物品**の譲渡、貸付けその他の資産の譲渡等

(11) 学校教育法等に規定する**教育**として行う役務の提供

(12) 学校教育法に規定する**教科用図書**の譲渡

(13) 住宅の貸付け（契約で居住の用に供することが明らかな場合（注）に限るものとし、貸付期間が１月未満の場合等を除く。）

（注）契約で用途が明らかにされていない場合に貸付け等の状況からみて居住の用に供されていることが明らかな場合を含む。

2．輸入取引（法6②、別表第二の二）

重要度○

保税地域から引き取られる**外国貨物**のうち、次のものには、消費税を**課さない**。

(1) 有価証券等

(2) 郵便切手類

(3) 印　紙

(4) 証　紙

(5) 物品切手等

(6) 身体障害者用物品

(7) 教科用図書

1−4 輸出免税等

１．輸出免税等（法７①）　重要度◎

事業者（免税事業者を除く。）が国内において行う課税資産の譲渡等のうち、輸出取引等に該当するものについては、消費税を免除する。

２．輸出取引等の範囲（法７①、令17）　重要度◎

(1) 本邦からの輸出として行われる資産の譲渡、貸付け
(2) 外国貨物の譲渡、貸付け（(1)を除く。）
(3) 国内及び国外にわたって行われる旅客、貨物の輸送、通信
(4) 専ら(3)の輸送の用に供される船舶、航空機の譲渡、貸付け、修理で船舶運航事業者等に対するもの
(5) (1)～(4)の資産の譲渡等に類するもの

① 外航船舶等の譲渡、貸付け、修理等で船舶運航事業者等に対するもの
② 外国貨物の荷役、運送、保管、検数、鑑定その他これらに類する役務の提供（指定保税地域等における内国貨物に係るものを含み、特例輸出貨物に係るものは、一定のものに限る。）
③ 国内及び国外にわたって行われる郵便、信書便
④ 無形固定資産の譲渡、貸付けで非居住者に対するもの
⑤ 非居住者に対する役務の提供で次のもの以外のもの
　イ 国内に所在する資産に係る運送、保管
　ロ 国内における飲食、宿泊
　ハ イ、ロに準ずるもので、国内において直接便益を享受するもの

３．輸出証明　重要度◎

(1) 内　容（法７②）

この規定は、輸出取引等であることにつき、証明がされたものでない場合には、適用しない。

(2) 証明方法（規５①）

輸出の事実を記載した書類等を整理し、その課税資産の譲渡等を行った日の属する課税期間の末日の翌日から２月を経過した日から７年間、納税地又は事務所等の所在地に保存することにより証明する。

4. 留意点（法5①）

重要度○

上記の「課税資産の譲渡等」からは、「**特定資産の譲渡等**」を除く。

参考　「課税資産の譲渡等」の定義（法2①九）

資産の譲渡等のうち、国内取引の非課税の規定により消費税を課さないこととされるもの以外のものをいう。

1-5 輸出物品販売場における輸出物品の譲渡に係る免税

1．輸出物品販売場における免税（法8①、令18①②⑭）　重要度◎

輸出物品販売場を経営する事業者が、**免税購入対象者**（非居住者であって一定の要件を満たす者をいう。）に対し、**免税対象物品**（注1）で輸出するため一定の方法により購入されるものの譲渡（**非課税**とされるものを除く。）を行った場合（注2）には、その物品の譲渡については、消費税を**免除**する。

（注1）次の物品以外の物品
　① 金、白金の地金その他通常生活の用に供しないもの
　② 通常生活の用に供する物品のうち食品類、飲料類、薬品類、化粧品類その他の消耗品（以下「消耗品」という。）にあっては、同一の販売場で同一の日における譲渡対価の額の合計額が**50万円**を超えるもの
（注2）同一の販売場で同一の日における譲渡対価の額の合計額が、一般物品（消耗品以外のもの）及び消耗品ともに**5千円**以上となるときに限る。

2．輸出物品販売場（法8⑦）　重要度○

一定の要件を満たす事業者（**免税事業者**を除く。）が経営する販売場（**臨時販売場**を除く。）で、**免税購入対象者**に対し輸出するため一定の方法により購入されるものの譲渡をすることができるものとして、納税地の所轄税務署長の**許可**を受けたものをいう。

3．臨時販売場（法8⑨）　重要度○

臨時販売場（**免税購入対象者**に対し、免税対象物品を譲渡するために**7月**以内の期間を定めて設置する販売場をいう。）を設置しようとする事業者（輸出物品販売場を経営する事業者に限る。）で**承認**を受けた者が、設置日の前日までに一定の**届出**をしたときは、その期間に限り、その臨時販売場を**輸出物品販売場**とみなして、この規定を適用する。

4．書類等の保存等

重要度○

(1) **内　容**（法8②）

この規定は、書類等を保存しない場合には、適用しない。

ただし、災害その他やむを得ない事情により保存できなかったことを証明した場合は、この限りでない。

(2) **購入記録情報の提供**（令18⑦）

事業者は、購入記録情報を免税販売手続の際、遅滞なく国税庁長官に提供しなければならない。

(3) **保存期間**（規7）

書類等を整理し、物品の譲渡を行った日の属する課税期間の末日の翌日から2月を経過した日から7年間、納税地又は販売場の所在地に保存しなければならない。

5．免税を受けるための手続（令18③④⑪）

重要度○

(1) **一般物品の購入**

免税購入対象者が購入の際、次の要件の全てを満たして引渡しを受ける方法とする。

① 旅券等を提示し、かつ、旅券等に係る情報を提供すること。

② 日本国籍を有する一定の者にあっては、一定の書類を提示し、書類に記載された情報を提供等すること。

(2) **消耗品の購入**

免税購入対象者が購入の際、次の要件の全てを満たして引渡しを受ける方法とする。

① 旅券等を提示し、かつ、旅券等に係る情報を提供すること。

② 日本国籍を有する一定の者にあっては、一定の書類を提示し、書類に記載された情報を提供等すること。

③ 指定する方法により包装されていること。

(3) **消耗品として適用する場合**

次の場合には、その資産を消耗品としてこの規定を適用する。

① 一般物品と消耗品とが一の資産を構成している資産の譲渡

② 指定する方法により包装されている一般物品（①の資産を除く。）の譲渡

(4) **説明義務**

事業者は、免税購入対象者に対し、免税対象物品が輸出するために購入されるものであること等を説明しなければならない。

1−6 小規模事業者に係る納税義務

1．納税義務者の原則（法5①②）　重要度◎

(1) 事業者は、国内において行った課税資産の譲渡等及び特定課税仕入れにつき、消費税を納める義務がある。

(2) 外国貨物を保税地域から引き取る者は、課税貨物につき、消費税を納める義務がある。

2．小規模事業者に係る納税義務の免除（法9①）　重要度◎

事業者のうち、その課税期間に係る基準期間における課税売上高が1,000万円以下である者（適格請求書発行事業者を除く。）については、原則にかかわらず、その課税期間中に国内において行った課税資産の譲渡等及び特定課税仕入れにつき、消費税を納める義務を免除する。

ただし、別段の定めがある場合は、この限りでない。

3．課税事業者の選択の届出（法9④）　重要度◎

2の規定により消費税を納める義務が免除されることとなる事業者が、その基準期間における課税売上高が1,000万円以下である課税期間につき、課税事業者選択届出書を納税地の所轄税務署長に提出した場合には、提出日の属する課税期間の翌課税期間（注1）以後の課税期間（注2）中に国内において行う課税資産の譲渡等及び特定課税仕入れについては、納税義務は免除されない。

（注1）提出日の属する課税期間が事業を開始した日の属する課税期間その他の一定の課税期間である場合には、その課税期間

（注2）基準期間における課税売上高が1,000万円を超える課税期間を除く。

4．選択不適用の届出（法9⑤⑥⑧）　重要度◎

(1) 課税事業者選択届出書を提出した事業者は、その適用を受けることをやめようとするとき、又は事業を廃止したときは、課税事業者選択不適用届出書を納税地の所轄税務署長に提出しなければならない。

(2) 課税事業者選択届出書を提出した事業者は、事業を廃止した場合を除き、その届出の効力が生ずる課税期間の初日から2年を経過する日の属する課税期間の初日以後でなければ、課税事業者選択不適用届出書を提出することができない。

(3) 課税事業者選択不適用届出書の提出があったときは、提出日の属する課税期間の末日の翌日以後は、課税事業者の選択の届出は、その効力を失う。

5．調整対象固定資産の仕入れ等を行った場合

（法9⑦、法附則51の2④）

重要度○

(1) 内　容

課税事業者選択届出書を提出した事業者は、その届出の効力が生ずる課税期間の初日から2年を経過する日までの間に開始した各課税期間（注3）中に調整対象固定資産の仕入れ等（注4）を行った場合（注5）には、4(2)にかかわらず、事業を廃止した場合を除き、その仕入れ等の日の属する課税期間の初日から3年を経過する日の属する課税期間の初日以後でなければ、課税事業者選択不適用届出書を提出することができない。

（注3）簡易課税又は2割特例の適用を受ける課税期間を除く。

（注4）国内における調整対象固定資産の課税仕入れ又は課税貨物の保税地域からの引取りをいう。

（注5）一定の課税期間において課税事業者選択届出書の提出前にその仕入れ等を行った場合を含む。

(2) 提出がなかったものとみなす場合

(1)の場合において、その仕入れ等の日の属する課税期間の初日からその仕入れ等の日までの間に課税事業者選択不適用届出書を納税地の所轄税務署長に提出しているときは、その提出は、なかったものとみなす。

6．一定の課税期間（令20）

重要度○

(1) 国内において課税資産の譲渡等に係る事業を開始した日の属する課税期間
(2) 相続により課税事業者の選択の適用を受けていた被相続人の事業を承継した場合におけるその相続があった日の属する課税期間
(3) 吸収合併により課税事業者の選択の適用を受けていた被合併法人の事業を承継した場合におけるその吸収合併があった日の属する課税期間
(4) 吸収分割により課税事業者の選択の適用を受けていた分割法人の事業を承継した場合におけるその吸収分割があった日の属する課税期間

7．宥恕規定（法9⑨、令20の2）

重要度○

事業者が、やむを得ない事情があるため**課税事業者選択届出書**又は**課税事業者選択不適用届出書**を**3**の適用を受けようとし又は受けることをやめようとする課税期間の初日の前日（注6）までに提出できなかった場合において、一定の**申請書**を、その事情がやんだ後**相当の期間内**に、納税地の所轄税務署長に提出し承認を受けたときは、これらの届出書をその課税期間の初日の前日に税務署長に提出したものとみなす。

（注6）その課税期間が一定の課税期間である場合には、その課税期間の末日

8．用語の意義（法2①十四、法5①、法9②③）

重要度◎

(1) 基準期間

① 個人事業者

その年の前々年

② 法　人

その事業年度の前々事業年度（注7）

（注7）前々事業年度が1年未満の場合には、その事業年度開始の日の2年前の日の前日から1年を経過する日までの間に開始した各事業年度を合わせた期間

(2) 基準期間における課税売上高

① 個人事業者、基準期間が1年である法人

基準期間中に国内において行った**課税資産の譲渡等の対価の額**の合計額から、**売上げに係る税抜対価の返還等の金額**の合計額を控除した残額

② 基準期間が1年でない法人

①の残額をその法人のその基準期間に含まれる事業年度の月数の合計数で除し、12を乗じて計算した金額

(3) 特定課税仕入れ

課税仕入れのうち特定仕入れに該当するものをいう。

9．留意点（法5①）

重要度○

上記の「課税資産の譲渡等」からは、「**特定資産の譲渡等**」を除く。

プラスα

上記**「7.宥恕規定」**の適用にあたって、提出する申請書は、次のとおりである。
⇒消費税課税事業者選択（不適用）届出に係る特例承認申請書（法9⑨、令20の2）

1－7 前年等の課税売上高による納税義務の免除の特例

１．前年等の課税売上高による納税義務の免除の特例（法９の２①③）　重要度◎

個人事業者のその年又は法人のその事業年度の基準期間における課税売上高が1,000万円以下である場合（注１）において、特定期間における課税売上高が1,000万円を超えるときは、その年又はその事業年度における課税資産の譲渡等及び特定課税仕入れについては、納税義務は免除されない。

なお、国外事業者以外の事業者は、その特定期間中に支払った支払明細書に記載すべき一定の給与等の合計額を特定期間における課税売上高とすることができる。

（注１）課税事業者の選択により課税事業者となる場合を除く。

２．用語の意義（法９の２②④）　重要度◎

(1) 特定期間

① 個人事業者
その年の前年１月１日から６月30日までの期間

② その事業年度の前事業年度（短期事業年度（注２）を除く。）がある法人
その前事業年度開始の日以後６月の期間

（注２）７月以下であるもの等をいう。

③ その事業年度の前事業年度が短期事業年度（注２）である法人
その事業年度の前々事業年度（注３）開始の日以後６月の期間（注４）

（注３）その事業年度の基準期間に含まれるもの等を除く。

（注４）その前々事業年度が６月以下の場合には、その前々事業年度開始の日からその終了の日までの期間

(2) 特定期間における課税売上高

特定期間中に国内において行った課税資産の譲渡等の対価の額の合計額から、売上げに係る税抜対価の返還等の金額の合計額を控除した残額

３．留意点（法５①）　重要度○

上記の「課税資産の譲渡等」からは、「特定資産の譲渡等」を除く。

（MEMO）

1−8 相続があった場合の納税義務の免除の特例

1．相続があった場合の納税義務の免除の特例　重要度◎

(1) **相続年**（法10①）

その年に相続があった場合において、その年の基準期間における課税売上高が1,000万円以下である相続人が、次の要件を満たすときは、その相続人（注）のその相続のあった日の翌日からその年の12月31日までの間における課税資産の譲渡等及び特定課税仕入れについては、納税義務は免除されない。

【要　件】

基準期間における課税売上高が1,000万円を超える被相続人の事業を承継したこと

（注）課税事業者の選択又は前年等の課税売上高による特例により課税事業者となるものを除く。

(2) **相続年の翌年、翌々年**（法10②）

その年の前年又は前々年に相続により被相続人の事業を承継した相続人のその年の基準期間における課税売上高が1,000万円以下である場合において、次の要件を満たすときは、その相続人（注）のその年における課税資産の譲渡等及び特定課税仕入れについては、納税義務は免除されない。

【要　件】

相続人の基準期間における課税売上高と被相続人の基準期間における課税売上高との合計額が1,000万円を超えること

(3) **事業場を分割して承継した場合**（法10③、令21）

相続により、２以上の事業場を有する被相続人の事業を２以上の相続人が事業場ごとに分割して承継した場合の、被相続人の基準期間における課税売上高は、その相続人が相続した事業場に係る部分の金額とする。

2．留意点（法５①）　重要度○

上記の「課税資産の譲渡等」からは、「特定資産の譲渡等」を除く。

（MEMO）

1−9 合併があった場合の納税義務の免除の特例

１．吸収合併の場合　重要度◎

(1) 合併事業年度（法11①）

吸収合併があった場合において、次の要件を満たすときは、合併法人（注１）のその事業年度（注２）の合併があった日からその事業年度終了の日までの間における**課税資産の譲渡等及び特定課税仕入れ**については、納税義務は免除されない。

【要　件】

被合併法人の**基準期間に対応する期間における課税売上高として一定の金額**（注３）が1,000万円を超えること

（注１）課税事業者の選択又は前年等の課税売上高による特例により課税事業者となるものを除く。

（注２）基準期間における課税売上高が1,000万円以下である事業年度に限る。

（注３）被合併法人が２以上ある場合には、いずれかの被合併法人に係るその金額

(2) 合併事業年度後の事業年度（法11②）

その事業年度の基準期間の初日の翌日からその事業年度開始の日の前日までの間に吸収合併があった場合において、次の要件を満たすときは、合併法人（注１）のその事業年度（注２）における**課税資産の譲渡等及び特定課税仕入れ**については、納税義務は免除されない。

【要　件】

合併法人の**基準期間における課税売上高**と被合併法人の**基準期間に対応する期間における課税売上高として一定の金額**（注４）との合計額が1,000万円を超えること

（注４）被合併法人が２以上ある場合には、各被合併法人に係るその金額の合計額

２．新設合併の場合　重要度◎

(1) **合併事業年度**（法11③）

新設合併があった場合において、次の要件を満たすときは、合併法人（注５）のその事業年度における**課税資産の譲渡等及び特定課税仕入れ**については、納税義務は免除されない。

【要　件】

被合併法人の**基準期間に対応する期間における課税売上高**として一定の金額のいずれかが1,000万円を超えること

（注５）課税事業者の選択により課税事業者となるものを除く。

(2) **合併事業年度後の事業年度**（法11④）

その事業年度開始の日の２年前の日からその事業年度開始の日の前日までの間に新設合併があった場合において、次の要件を満たすときは、合併法人（注１）のその事業年度（注２）における**課税資産の譲渡等及び特定課税仕入れ**については、納税義務は免除されない。

【要　件】

合併法人の**基準期間における課税売上高**（基準期間中に国内において行った課税資産の譲渡等の対価の額の合計額から、売上げに係る税抜対価の返還等の金額の合計額を控除した残額）と各被合併法人の**基準期間に対応する期間における課税売上高**として一定の金額の合計額との合計額（その合併法人のその事業年度の基準期間における課税売上高がない場合等には一定の金額）が1,000万円を超えること

３．留意点（法５①）　重要度○

上記の「課税資産の譲渡等」からは、「**特定資産の譲渡等**」を除く。

1−10 会社分割があった場合の納税義務の免除の特例

1．分割等の場合

重要度◎

(1) 新設分割子法人

① 分割事業年度（法12①）

分割等があった場合において、次の要件を満たすときは、新設分割子法人（注１）の分割等があった日からその事業年度終了の日までの間における**課税資産の譲渡等及び特定課税仕入れ**については、納税義務は免除されない。

【要　件】

新設分割親法人の**基準期間に対応する期間における課税売上高として一定の金額**（注２）が**1,000万円を超えること**

（注１）課税事業者の選択により課税事業者となるものを除く。

（注２）新設分割親法人が２以上ある場合には、いずれかの新設分割親法人に係るその金額

② 分割事業年度の翌事業年度（法12②）

その事業年度開始の日の１年前の日の前日からその事業年度開始の日の前日までの間に分割等があった場合において、次の要件を満たすときは、新設分割子法人（注３）のその事業年度における**課税資産の譲渡等及び特定課税仕入れ**については、納税義務は免除されない。

【要　件】

新設分割親法人の**基準期間に対応する期間における課税売上高として一定の金額**（注２）が**1,000万円を超えること**

（注３）課税事業者の選択又は前年等の課税売上高による特例により課税事業者となるものを除く。

③　分割事業年度の翌々事業年度以後（法12③）

その事業年度開始の日の１年前の日の前々日以前に分割等（注４）があった場合において、次の要件を満たすときは、新設分割子法人（注３）のその事業年度（注５）における**課税資産の譲渡等及び特定課税仕入れ**については、納税義務は免除されない。

【要　件】

イ　その事業年度の基準期間の末日に新設分割子法人が**特定要件**に該当すること

ロ　新設分割子法人の**基準期間における課税売上高**として一定の金額と新設分割親法人の**基準期間に対応する期間における課税売上高**として一定の金額との合計額が**1,000万円を超える**こと

（注４）新設分割親法人が２以上ある場合を除く。

（注５）**基準期間における課税売上高が1,000万円以下である事業年度に限る。**

(2)　新設分割親法人（法12④）

その事業年度開始の日の１年前の日の前々日以前に分割等（注４）があった場合において、次の要件を満たすときは、新設分割親法人（注３）のその事業年度（注５）における**課税資産の譲渡等及び特定課税仕入れ**については、納税義務は免除されない。

【要　件】

イ　その事業年度の基準期間の末日に新設分割子法人が**特定要件**に該当すること

ロ　新設分割親法人の**基準期間における課税売上高**と新設分割子法人の**基準期間に対応する期間における課税売上高**として一定の金額との合計額が**1,000万円を超える**こと

２．用語の意義　重要度△

(1)　分割等（法12⑦）

１に規定する分割等とは、次のものをいう。

①　新設分割

②　一定の現物出資

③　一定の事後設立

(2)　特定要件（法12③）

新設分割子法人の発行済株式又は出資（自己の株式又は出資を除く。）の総数又は総額の**50%超**が新設分割親法人及びその特殊関係者の所有に属する場合等であることをいう。

３．吸収分割の場合

重要度◎

(1) 吸収分割事業年度（法12⑤）

吸収分割があった場合において、次の要件を満たすときは、分割承継法人（注３）のその事業年度（注５）のその吸収分割があった日からその事業年度終了の日までの間における**課税資産の譲渡等及び特定課税仕入れ**については、納税義務は免除されない。

【要　件】

分割法人の**基準期間に対応する期間における課税売上高として一定の金額**（注６）が**1,000万円を超える**こと

（注６）分割法人が２以上ある場合には、いずれかの分割法人に係るその金額

(2) 吸収分割事業年度の翌事業年度（法12⑥）

その事業年度開始の日の１年前の日の前日からその事業年度開始の日の前日までの間に吸収分割があった場合において、次の要件を満たすときは、分割承継法人（注３）のその事業年度（注５）における**課税資産の譲渡等及び特定課税仕入れ**については、納税義務は免除されない。

【要　件】

分割法人の**基準期間に対応する期間における課税売上高として一定の金額**（注６）が**1,000万円を超える**こと

４．留意点（法５①）

重要度○

上記の「課税資産の譲渡等」からは、「**特定資産の譲渡等**」を除く。

(MEMO)

1−11 新設法人の納税義務の免除の特例

1. 新設法人（法12の２①）　重要度◎

その事業年度の基準期間がない法人（注１）のうち、その事業年度開始の日における資本金の額又は出資の金額が1,000万円以上である法人をいう。

（注１）社会福祉法人等を除く。

2. 新設法人の納税義務の免除の特例（法12の２①）　重要度◎

新設法人の基準期間がない事業年度に含まれる各課税期間（注２）における課税資産の譲渡等及び特定課税仕入れについては、納税義務は免除されない。

（注２）課税事業者の選択、前年等の課税売上高による特例、新設合併、分割等の特例により課税事業者となる課税期間を除く。

3. 調整対象固定資産の仕入れ等を行った場合（法12の２②）　重要度○

新設法人が、その基準期間がない事業年度に含まれる各課税期間（注３）中に調整対象固定資産の仕入れ等を行った場合には、その仕入れ等の日の属する課税期間からその課税期間の初日以後３年を経過する日の属する課税期間までの各課税期間（注４）における課税資産の譲渡等及び特定課税仕入れについては、納税義務は免除されない。

（注３）簡易課税の適用を受ける課税期間を除く。

（注４）基準期間における課税売上高が1,000万円を超える課税期間、課税事業者の選択、前年等の課税売上高による特例、新設合併、分割等の特例、又は2の規定により課税事業者となる課税期間を除く。

4. 外国法人が国内において事業を開始した場合（法12の２③）　重要度△

その事業年度の基準期間がある外国法人が、その基準期間の末日の翌日以後に国内において課税資産の譲渡等に係る事業を開始した場合には、その事業年度は基準期間がないものとみなして、この規定を適用する。

5. 留意点（法５①）　重要度○

上記の「課税資産の譲渡等」からは、「特定資産の譲渡等」を除く。

参考

⇒消費税の新設法人に該当する旨の届出書（5－1(7)）

1－12 特定新規設立法人の納税義務の免除の特例

１．特定新規設立法人（法12の３①）　重要度◎

新規設立法人のうち、次のいずれの要件も満たすものをいう。

(1) 新設開始日において特定要件に該当すること

(2) 特定要件の判定の基礎となった他の者及び当該他の者と一定の特殊な関係にある法人のうちいずれかの者についてその新規設立法人の新設開始日の属する事業年度の基準期間に相当する期間における課税売上高として一定の金額が５億円を超えること又はその基準期間に相当する期間における総収入金額として一定の金額が50億円を超えること

２．特定新規設立法人の納税義務の免除の特例（法12の３①）　重要度◎

特定新規設立法人の基準期間がない事業年度に含まれる各課税期間（注１）における課税資産の譲渡等及び特定課税仕入れについては、納税義務は免除されない。

（注１）　課税事業者の選択、前年等の課税売上高による特例、新設合併、分割等の特例、又は新設法人が調整対象固定資産の仕入れ等を行った場合の規定により課税事業者となる課税期間を除く。

３．調整対象固定資産の仕入れ等を行った場合（法12の３③）　重要度○

特定新規設立法人が、その基準期間がない事業年度に含まれる各課税期間（注２）中に調整対象固定資産の仕入れ等を行った場合には、その仕入れ等の日の属する課税期間からその課税期間の初日以後３年を経過する日の属する課税期間までの各課税期間（注３）における課税資産の譲渡等及び特定課税仕入れについては、納税義務は免除されない。

（注２）簡易課税の適用を受ける課税期間を除く。

（注３）基準期間における課税売上高が1,000万円を超える課税期間、課税事業者の選択、前年等の課税売上高による特例、新設合併、分割等の特例、新設法人が調整対象固定資産の仕入れ等を行った場合の規定、又は２の規定により課税事業者となる課税期間を除く。

4．解散法人がある場合（法12の3②）

重要度△

新規設立法人が新設開始日において特定要件に該当し、かつ、解散法人がある場合には、その解散法人は特殊な関係にある法人とみなして、この規定を適用する。

5．情報の提供（法12の3④）

重要度△

特定要件の判定の基礎となった他の者は、新規設立法人から基準期間に相当する期間における課税売上高として一定の金額が5億円を超えるかどうか又は総収入金額として一定の金額が50億円を超えるかどうかの判定に関し情報の提供を求められた場合には、これに応じなければならない。

6．外国法人が国内において事業を開始した場合（法12の3⑤）

重要度△

その事業年度の基準期間がある外国法人が、その基準期間の末日の翌日以後に国内において課税資産の譲渡等に係る事業を開始した場合には、その事業年度は基準期間がないものとみなして、この規定を適用する。

7．用語の意義

重要度○

(1) **新規設立法人**（法12の3①）

その事業年度の基準期間がない法人（新設法人及び社会福祉法人等を除く。）をいう。

(2) **新設開始日**（法12の3①）

基準期間がない事業年度開始の日をいう。

(3) **特定要件**（法12の3①）

新規設立法人の発行済株式又は出資（自己の株式又は出資を除く。）の総数又は総額の50%超が他の者により直接又は間接に保有される場合等であることをいう。

(4) **解散法人**（法12の3②）

新規設立法人の設立の日前1年以内又はその新設開始日前1年以内に解散した法人のうち、解散の日において特殊な関係にある法人に該当していたものをいう。

8．留意点（法5①）

重要度○

上記の「課税資産の譲渡等」からは、「特定資産の譲渡等」を除く。

参考

⇒消費税の特定新規設立法人に該当する旨の届出書（５－１(8)）

（MEMO）

1-13　高額特定資産を取得した場合等の納税義務の免除の特例

1．高額特定資産を取得した場合（法12の4①、法附則51の2④）　重要度◎

事業者（免税事業者を除く。）が、簡易課税又は2割特例の適用を受けない課税期間中に高額特定資産の仕入れ等（注1）を行った場合（注2）には、次の日の属する課税期間の翌課税期間からその仕入れ等の日の属する課税期間（注3）の初日以後3年を経過する日の属する課税期間までの各課税期間（注4）における課税資産の譲渡等及び特定課税仕入れについては、納税義務は免除されない。

(1)　高額特定資産（(2)を除く。）
　その仕入れ等を行った日
(2)　自己建設高額特定資産
　その仕入れを行った場合（注2）に該当することとなった日

（注1）国内における高額特定資産の課税仕入れ又は課税貨物の保税地域からの引取りをいう。
（注2）自己建設高額特定資産にあっては、その建設等に要した一定の費用の額の累計額が1,000万円以上となった場合
（注3）自己建設高額特定資産にあっては、その建設等が完了した日の属する課税期間
（注4）基準期間における課税売上高が1,000万円を超える課税期間、課税事業者の選択、前年等の課税売上高による特例、相続、合併、分割の特例、新設法人又は特定新規設立法人の特例により課税事業者となる課税期間を除く。

2．棚卸資産の調整の適用を受けた場合（法12の4②）

重要度○

事業者が、高額特定資産である棚卸資産若しくは課税貨物又は調整対象自己建設高額資産について棚卸資産の調整の適用を受けた場合には、その適用を受けた課税期間の翌課税期間からその適用を受けた課税期間（注5）の初日以後3年を経過する日の属する課税期間までの各課税期間（注6）における課税資産の譲渡等及び特定課税仕入れについては、納税義務は免除されない。

（注5）棚卸資産の調整に規定する場合に該当することとなった日の前日までに建設等が完了していない調整対象自己建設高額資産にあっては、その建設等が完了した日の属する課税期間

（注6）基準期間における課税売上高が1,000万円を超える課税期間、課税事業者の選択、前年等の課税売上高による特例、相続、合併、分割の特例、新設法人、特定新規設立法人の特例、又は1の規定により課税事業者となる課税期間を除く。

3．金地金等の仕入れ等を行った場合（法12の4③、令25の5④、法附則51の2④）

重要度○

事業者（免税事業者を除く。）が、簡易課税又は2割特例の適用を受けない課税期間中に金地金等の仕入れ等（注7）を行った場合において、その課税期間中の金地金等の仕入れ等の金額の合計額が200万円以上であるときは、その仕入れ等を行った課税期間の翌課税期間からその仕入れ等を行った課税期間の初日以後3年を経過する日の属する課税期間までの各課税期間（注8）における課税資産の譲渡等及び特定課税仕入れについては、納税義務は免除されない。

（注7）国内における金地金等の課税仕入れ又は課税貨物の保税地域からの引取り（その課税期間において棚卸資産の調整の適用を受けるものを含む。）をいう。

（注8）基準期間における課税売上高が1,000万円を超える課税期間、課税事業者の選択、前年等の課税売上高による特例、相続、合併、分割の特例、新設法人、特定新規設立法人の特例、又は1、2の規定により課税事業者となる課税期間を除く。

4．高額特定資産の範囲等（法12の４①②③、令25の５、令附則21の２）

重要度○

(1) 高額特定資産

棚卸資産及び調整対象固定資産（以下「対象資産」という。）の区分に応じそれぞれの金額が1,000万円以上のものをいう。

① **対象資産**（②を除く。）

一の取引単位に係る次の金額

イ　課税仕入れに係る支払対価の額の110分の100（軽減対象課税資産の譲渡等に係るものである場合には108分の100）に相当する金額

ロ　特定課税仕入れに係る支払対価の額

ハ　保税地域から引き取られるその資産の課税標準である金額

② **自己建設資産**（対象資産のうち自ら建設等をしたもの）

その建設等に要した原材料費及び経費（免税事業者、簡易課税又は２割特例の適用を受ける課税期間中のものを除く。）で上記①の金額の合計額

(2) 自己建設高額特定資産

他の者との契約に基づき、又はその事業者の棚卸資産若しくは調整対象固定資産として自ら建設等をした高額特定資産をいう。

(3) 調整対象自己建設高額資産

他の者との契約に基づき、又はその事業者の棚卸資産として自ら建設等をした棚卸資産（注９）で、その建設等に要した原材料費及び経費で上記(1)①の金額の累計額が1,000万円以上となったものをいう。

（注９）相続、合併又は分割により被相続人、被合併法人又は分割法人の事業を承継した場合において、その被相続人、被合併法人又は分割法人が自ら建設等をしたものを含む。

(4) 金地金等

金又は白金の地金その他これに類するものとして一定のものをいう。

(5) 金地金等の仕入れ等の金額の合計額

次の①②の合計額（課税期間が１年未満の場合には、その課税期間の月数で除し、12を乗じて計算した金額）

①　課税仕入れに係る支払対価の額の110分の100に相当する金額

②　保税地域から引き取った金地金等の課税標準である金額

5．留意点（法５①）

重要度○

上記の「課税資産の譲渡等」からは、「特定資産の譲渡等」を除く。

参考　⇒２及び３の「棚卸資産の調整」とは、次のものを指す。

Ｍ３－11の１．「免税事業者が課税事業者となった場合（法36①）」
Ｍ３－11の２．「事業を承継した場合（法36③）」

参考　⇒高額特定資産の取得等に係る課税事業者である旨の届出書（５－１⑶）

1-14 特定プラットフォーム事業者を介して行う電気通信利用役務の提供に関する消費税法の適用

1．特定プラットフォーム事業者に対する消費税法の適用（法15の2①）

重要度○

国外事業者が国内において行う**電気通信利用役務の提供**（事業者向け電気通信利用役務の提供を除く。）がデジタルプラットフォームを介して行われるもので、その対価について特定プラットフォーム事業者を介して収受するものである場合には、その特定プラットフォーム事業者がその**電気通信利用役務の提供**を行ったものとみなして、消費税法の規定を適用する。

2．特定プラットフォーム事業者の指定等

重要度○

(1) 指　定（法15の2②）

国税庁長官は、プラットフォーム事業者のその課税期間において、**1**の適用を受ける**電気通信利用役務の提供**に係る対価の額（注1）の合計額（注2）が**50億円**を超える場合には、そのプラットフォーム事業者を、特定プラットフォーム事業者として指定するものとする。

この場合において、その指定は、**(2)**の届出書の提出期限（注3）から6月を経過する日の属する月の翌月の初日に、効力を生ずる。

（注1）対価として収受し、又は収受すべき一切の金銭又は金銭以外の物、権利その他経済的な利益の額とし、電気通信利用役務の提供に課されるべき消費税額及び地方消費税額に相当する額を含む。

（注2）課税期間が1年未満の場合には、その合計額をその課税期間の月数で除し、12を乗じて計算した金額

（注3）提出期限までに提出がない場合には、国税庁長官が通知を発した日

(2) 指定の届出（法15の2③）

(1)の指定を受けるべき者は、その課税期間に係る確定申告書の提出期限までに、特定プラットフォーム事業者の指定届出書を納税地の所轄税務署長を経由して国税庁長官に提出しなければならない。

(3) 国外事業者への通知（法15の2⑤）

特定プラットフォーム事業者は、国外事業者に対し、**1**が適用されることとなる旨及びその年月日を速やかに通知するものとする。

(4) 指定解除の申請（法15の2⑦）

特定プラットフォーム事業者は、その課税期間から第3年度の課税期間までのいずれの課税期間においても1の適用を受ける電気通信利用役務の提供に係る対価の額の合計額が50億円以下である場合には、第3年度の課税期間に係る確定申告書の提出期限までに、特定プラットフォーム事業者の指定解除申請書を納税地の所轄税務署長を経由して国税庁長官に提出し、指定解除を申請することができる。

(5) みなし特定プラットフォーム事業者（法15の2⑨）

指定解除された事業者は、国税庁長官がその解除通知を発した日の翌日から6月を経過する日の属する月の末日までの間は、引き続き特定プラットフォーム事業者とみなして、1を適用する。

(6) 事業を廃止した場合（法15の2⑩）

特定プラットフォーム事業者は、1の適用を受ける事業を廃止した場合には、特定プラットフォーム事業者に係る事業廃止届出書を、速やかに、納税地の所轄税務署長を経由して国税庁長官に提出しなければならない。

(7) 国外事業者への解除通知（法15の2⑬）

指定解除の通知を受けた特定プラットフォーム事業者は、国外事業者に対し、1が適用されないこととなる旨及びその年月日を速やかに通知するものとする。

(8) 納税義務の判定及び簡易課税の適用（法15の2⑭）

特定プラットフォーム事業者の納税義務の判定及び簡易課税の適用については、一定の定めがある。

3．用語の意義（法15の2①）　重要度○

(1) デジタルプラットフォーム

不特定多数の者が利用することを予定して電子計算機を用いた情報処理により構築された場であって、その場を介してその場を提供する者以外の者が電気通信利用役務の提供を行うために、その電気通信利用役務の提供に係る情報を表示することを常態として不特定多数の者に電気通信回線を介して提供されるものをいう。

(2) プラットフォーム事業者

デジタルプラットフォームを提供する事業者をいう。

(3) 特定プラットフォーム事業者

一定の要件を満たすプラットフォーム事業者のうち国税庁長官の指定を受けた者をいう。

1−15 リース譲渡に係る資産の譲渡等の時期の特例

1．リース譲渡に係る資産の譲渡等の時期の特例　重要度◎

(1) リース譲渡を行った課税期間（法16①）

事業者がリース譲渡を行った場合において、その対価の額につき所得税法又は法人税法に規定する**延払基準**の方法により経理することとしているときは、そのリース譲渡をした日の属する課税期間においてその支払期日が到来しない賦払金の額（その課税期間において支払を受けたものを除く。）に係る部分については、その課税期間において資産の譲渡等を行わなかったものとみなして、その部分に係る対価の額を、その対価の額から控除することができる。

(2) 翌課税期間以後（法16②）

リース譲渡をした日の属する課税期間において資産の譲渡等を行わなかったものとみなされた部分は、原則として、その賦払金の支払期日の属する各課税期間においてそれぞれその賦払金に係る部分の資産の譲渡等を行ったものとみなす。

ただし、所得税法又は法人税法に規定する**延払基準**の方法により経理しなかった場合には、この限りでない。

2．付記事項（法16③）　重要度◎

この規定の適用を受けようとする事業者は、確定申告書にその旨を付記するものとする。

3．相続、合併、分割の場合（法16④）　重要度○

(1) この規定の適用を受ける個人事業者が死亡した場合には、一定の時期に資産の譲渡等を行ったものとみなして、この特例を適用する。

(2) (1)の規定は、法人が合併により消滅した場合又は分割によりリース譲渡に係る事業を分割承継法人に承継させた場合について準用する。

（MEMO）

1−16 工事の請負に係る資産の譲渡等の時期の特例

1．工事の請負に係る資産の譲渡等の時期の特例　重要度◎

(1) 引渡し課税期間の直前課税期間まで（法17①②）

① 長期大規模工事

事業者が長期大規模工事の請負に係る契約に基づき資産の譲渡等を行う場合には、所得税法又は法人税法に規定する**工事進行基準**の方法により計算した収入金額又は収益の額に係る部分については、次の③の課税期間に資産の譲渡等を行ったものとすることができる。

② 工　事

事業者が工事の請負に係る契約に基づき資産の譲渡等を行う場合において、その対価の額につき所得税法又は法人税法に規定する**工事進行基準**の方法により経理することとしているときは、その方法により経理した収入金額又は収益の額に係る部分については、次の③の課税期間に資産の譲渡等を行ったものとすることができる。

ただし、所得税法又は法人税法に規定する**工事進行基準**の方法により経理しなかった場合には、この限りでない。

③ 計上時期

イ 個人事業者

収入金額が総収入金額に算入された年の12月31日の属する課税期間

ロ 法　人

収益の額が益金の額に算入された事業年度終了の日の属する課税期間

(2) 引渡し課税期間（法17③、令38①）

(1)の適用を受けた事業者が特定工事（注）の目的物の引渡しを行った場合には、その着手日の属する課税期間からその引渡日の属する課税期間の直前課税期間までの各課税期間において資産の譲渡等を行ったものとされた部分については、引渡日の属する課税期間においては資産の譲渡等がなかったものとして、その部分に係る対価の額の合計額を、その特定工事の請負に係る対価の額から控除する。

（注）長期大規模工事又は工事をいう。

2．付記事項（法17④）

重要度◎

この規定の適用を受けようとする事業者は、確定申告書にその旨を付記するものとする。

3．相続、合併、分割の場合（法17⑤）

重要度○

(1)　1(1)の適用を受ける個人事業者が死亡した場合において、その事業を承継した相続人がその特定工事の目的物の引渡しを行ったときは、その特定工事の請負に係る資産の譲渡等のうち被相続人が資産の譲渡等を行ったものとされた部分については、その相続人が資産の譲渡等を行ったものとみなして、1(2)の規定を適用する。

(2)　(1)の規定は、法人が合併により消滅した場合又は分割により特定工事に係る事業を分割承継法人に承継させた場合について準用する。

1-17 小規模事業者等に係る資産の譲渡等の時期等の特例

1．現金基準（法18①）　重要度◎

所得税法に規定する現金基準による所得計算の特例の適用を受ける個人事業者の資産の譲渡等及び課税仕入れを行った時期は、その資産の譲渡等に係る対価の額を収入した日及びその課税仕入れに係る費用の額を支出した日とすることができる。

2．付記事項（法18②）　重要度◎

この規定の適用を受けようとする事業者は、確定申告書にその旨を付記するものとする。

(MEMO)

1−18 課税期間

１．原　則　重要度◎

(1) 個人事業者（法19①一）

１月１日から12月31日までの期間

(2) 法　人（法19①二）

事業年度

２．課税期間特例選択の届出　重要度◎

(1) 区分される期間（法19①三・三の二・四・四の二）

課税期間を短縮・変更することについて、納税地の所轄税務署長に課税期間特例選択・変更届出書を提出した場合

①　個人事業者

イ　３月ごとの期間に短縮・変更するとき

１月１日以後３月ごとに区分した各期間

ロ　１月ごとの期間に短縮・変更するとき

１月１日以後１月ごとに区分した各期間

②　法　人

イ　事業年度が３月を超える法人が３月ごとの期間に短縮・変更するとき

その事業年度をその開始の日以後３月ごとに区分した各期間（最後に３月未満の期間を生じたときは、その３月未満の期間）

ロ　事業年度が１月を超える法人が１月ごとの期間に短縮・変更するとき

その事業年度をその開始の日以後１月ごとに区分した各期間（最後に１月未満の期間を生じたときは、その１月未満の期間）

(2) 届出の効力（法19②）

課税期間特例選択・変更届出書の効力は、提出日の属する期間の翌期間（注）の初日以後に生ずるものとする。

（注）提出日の属する期間が事業を開始した日の属する期間その他の一定の期間である場合には、その期間

3．選択不適用の届出（法19③④）

重要度◎

(1) **課税期間特例選択・変更届出書**を提出した事業者は、その適用を受けることをやめようとするとき又は事業を廃止したときは、**課税期間特例選択不適用届出書**を納税地の所轄税務署長に提出しなければならない。

(2) **課税期間特例選択不適用届出書**の提出があったときは、提出日の属する課税期間の末日の翌日以後は、**課税期間特例選択**の届出は、その効力を失う。

4．提出の制限（法19⑤）

重要度◎

(1) **不適用の場合**

課税期間特例選択・変更届出書を提出した事業者は、事業を廃止した場合を除き、その届出の効力が生ずる日から２年を経過する日の属する期間の初日以後でなければ、**課税期間特例選択不適用届出書**を提出することができない。

(2) **変更の場合**

課税期間特例選択・変更届出書を提出した事業者は、事業を廃止した場合を除き、その届出の効力が生ずる日から２年を経過する日の属する一定期間の初日以後でなければ、**課税期間特例選択・変更届出書**を提出することができない。

5．一定の期間（令41①）

重要度○

(1) 国内において**課税資産の譲渡等**に係る**事業を開始した日**の属する期間
(2) **相続**により課税期間の特例の適用を受けていた被相続人の事業を承継した場合におけるその**相続**があった日の属する期間
(3) **吸収合併**により課税期間の特例の適用を受けていた被合併法人の事業を承継した場合におけるその**吸収合併**があった日の属する期間
(4) **吸収分割**により課税期間の特例の適用を受けていた分割法人の事業を承継した場合におけるその**吸収分割**があった日の属する期間

6．留意点（令41①）

重要度○

上記の「課税資産の譲渡等」からは、「**特定資産の譲渡等**」を除く。

1−19 納税地

１．国内取引　重要度◎

(1) 個人事業者（法20）

資産の譲渡等及び特定仕入れに係る納税地は、次の場所とする。

① 国内に住所を有する場合
住所地

② 国内に住所を有せず、居所を有する場合
居所地

③ 国内に住所及び居所を有せず、国内に事務所等を有する場合
事務所等の所在地（２以上ある場合には、主たるものの所在地）

④ ①〜③以外
一定の場所

(2) 法　人（法22）

資産の譲渡等及び特定仕入れに係る納税地は、次の場所とする。

① 内国法人
本店又は主たる事務所の所在地
（注）内国法人とは、国内に本店又は主たる事務所を有する法人をいう。

② 内国法人以外の法人で国内に事務所等を有するもの
事務所等の所在地（２以上ある場合には、主たるものの所在地）

③ ①②以外
一定の場所

(3) 指　定（法23）

納税地として不適当であると認められる場合には、その納税地の所轄国税局長又は国税庁長官はその納税地を指定することができる。

なお、納税地を指定したときは、国税局長又は国税庁長官は、その事業者に対し、書面によりその旨を通知する。

(4) 指定処分の取消しがあった場合の効力（法24）

納税地指定の処分の取消しがあった場合においても、その取消し前の納税地における申告、納付等の効力には影響を及ぼさない。

(5) 異動の届出（法25）

法人は、納税地に異動があった場合には、遅滞なく、その異動前の納税地の所轄税務署長に異動届出書を提出しなければならない。

2．輸入取引（法26）

重要度○

保税地域から引き取られる外国貨物に係る納税地は、その保税地域の所在地とする。

(MEMO)

テーマ

2

課税標準及び税率

2−1 課税標準

１．国内取引　重要度◎

(1) **原　則**（法28①②、令45①）

① 課税資産の譲渡等に係る消費税の課税標準

課税資産の譲渡等の対価の額（注１）とする。

（注１）対価として収受し、又は収受すべき一切の金銭又は金銭以外の物、権利その他経済的な利益の額（注２）とし、課税資産の譲渡等につき課されるべき消費税額及び地方消費税額に相当する額を含まないものとする。

（注２）金銭以外の物、権利その他経済的な利益の額は、その物、権利を取得し、又はその利益を享受する時における価額とする。

② 特定課税仕入れに係る消費税の課税標準

特定課税仕入れに係る支払対価の額（注３）とする。

（注３）対価として支払い、又は支払うべき一切の金銭又は金銭以外の物、権利その他経済的な利益の額（注２）をいう。

(2) **低額譲渡**（法28①）

法人が資産をその役員に譲渡した場合において、**対価の額**が譲渡時の資産の価額に比し著しく低いときは、その価額に相当する金額を**対価の額**とみなす。

(3) **みなし譲渡**（法28③）

それぞれに相当する金額を**対価の額**とみなす。

① 個人事業者が棚卸資産又は棚卸資産以外の事業用資産を家事のために消費又は使用した場合には、その消費又は使用の時の資産の価額

② 法人が資産をその役員に対して贈与した場合には、その贈与時の資産の価額

(4) 一定の行為（令45②）

それぞれに相当する金額を対価の額とする。

① 代物弁済による資産の譲渡

代物弁済により消滅する債務の額（代物弁済による譲渡資産の価額が債務の額を超える額につき支払を受ける場合は、その金額を加算した金額）

② 負担付き贈与による資産の譲渡

負担付き贈与に係る負担の価額

③ 金銭以外の資産の出資

出資により取得する株式（出資を含む。）の取得時の価額

④ 資産の交換

交換取得資産の取得時の価額（交換差金を取得する場合はその額を加算した金額とし、支払う場合はその額を控除した金額）

⑤ 特定受益証券発行信託、一定の法人課税信託の委託者が金銭以外の資産の信託をした場合の資産の移転等

資産の移転等の時における価額

(5) 一括譲渡（令45③）

事業者が次の異なる２以上の資産を同一の者に対して同時に譲渡した場合において、これらの資産の譲渡対価の額が次の資産ごとに合理的に区分されていないときは、各資産の価額の割合に応じて各資産の譲渡対価の額を計算する。

この場合において、①の資産の譲渡に係る課税標準は、その譲渡対価の額（消費税額等が含まれる場合には、その譲渡対価の額に110分の100を乗じて算出した金額）とし、②の資産の譲渡に係る課税標準は、その譲渡対価の額（消費税額等が含まれる場合には、その譲渡対価の額に108分の100を乗じて算出した金額）とする。

① 課税資産（②を除く。）

② 軽減対象課税資産

③ 非課税資産

2．輸入取引（法28④）

重要度○

保税地域から引き取られる**課税貨物**に係る消費税の課税標準は、次の合計額とする。

(1) 関税定率法の規定に準じて算出した価格

(2) 引取りに係る消費税以外の消費税等

(3) 関税の額

3．留意点（法5①、令45③）

重要度○

上記の「課税資産の譲渡等」からは、「**特定資産の譲渡等**」を除く。

（MEMO）

2－2　税　率

１．税　率（法29）　重要度◎

消費税の税率は、それぞれに定める率とする。

(1) 課税資産の譲渡等（軽減対象課税資産の譲渡等を除く。）、特定課税仕入れ及び保税地域から引き取られる課税貨物（軽減対象課税貨物を除く。）

7.8%

(2) 軽減対象課税資産の譲渡等及び保税地域から引き取られる軽減対象課税貨物

6.24%

２．軽減対象課税資産の譲渡等の範囲（別表第一）　重要度◎

(1) 飲食料品（注１）**の譲渡**（注２）

（注１）食品表示法に規定する食品（酒税法に規定する酒類を除く。以下単に「食品」という。）をいい、食品と食品以外の資産が一の資産を形成し、又は構成しているもののうち一定の資産を含む。

（注２）次のものは含まない。

① 飲食店業等を営む者が行う飲食設備のある場所において飲食料品を飲食させる一定の食事の提供

② 課税資産の譲渡等の相手方が指定した場所において行う加熱、調理等の役務を伴う一定の飲食料品の提供

(2) 一定の新聞（注３）**の定期購読契約に基づく譲渡**

（注３）１週に２回以上発行するものに限る。

３．軽減対象課税貨物の範囲（別表第一の二）　重要度○

飲食料品（注１）

４．留意点（法５①）　重要度○

上記の「課税資産の譲渡等」からは、「特定資産の譲渡等」を除く。

（MEMO）

(MEMO)

テーマ

3

税額控除等

3-1 仕入れに係る消費税額の控除（原則課税）

１．仕入れに係る消費税額の控除（法30①）　重要度◎

事業者（免税事業者を除く。）が、国内において行う課税仕入れ若しくは特定課税仕入れ又は保税地域から引き取る課税貨物については、次の日の属する課税期間の課税標準額に対する消費税額から、その課税期間中に国内において行った課税仕入れに係る消費税額（注１）、その課税期間中に国内において行った特定課税仕入れに係る消費税額（注２）及びその課税期間における保税地域からの引取りに係る課税貨物（注３）につき課された又は課されるべき消費税額の合計額を控除する。

(1) 国内において課税仕入れを行った場合
　課税仕入れを行った日

(2) 国内において特定課税仕入れを行った場合
　特定課税仕入れを行った日

(3) 一般申告課税貨物につき申告書を提出した場合
　一般申告課税貨物を引き取った日

(4) 課税貨物につき特例申告書を提出した場合
　特例申告書の提出日

（注１）課税仕入れに係る適格請求書又は適格簡易請求書の記載事項を基礎として計算した金額その他の一定の方法により計算した金額

（注２）特定課税仕入れに係る支払対価の額に100分の7.8を乗じて算出した金額

（注３）消費税が免除されるものを除く。

２．課税売上高が５億円を超える場合等（法30②④）　重要度◎

１の場合において、１の課税期間における課税売上高が５億円を超えるとき、又は課税売上割合が95%に満たないときは、１の規定により控除する課税仕入れ等の税額の合計額は、次の方法により計算した金額とする。

(1) 区分している場合

その課税期間中に国内において行った課税仕入れ及び特定課税仕入れ並びにその課税期間における保税地域からの引取りに係る課税貨物につき、課税資産の譲渡等にのみ要するもの、その他の資産の譲渡等にのみ要するもの及び課税資産の譲渡等とその他の資産の譲渡等に共通して要するものにその区分が明らかにされている場合は、①の方法により計算する。

なお、上記の区分がされている場合であっても、②の方法により計算することができる。

① 個別対応方式

イとロを合計する方法をいう。

イ 課税資産の譲渡等にのみ要する課税仕入れ等の税額の合計額

ロ 課税資産の譲渡等とその他の資産の譲渡等に共通して要する課税仕入れ等の税額の合計額に課税売上割合を乗じて計算した金額

② 一括比例配分方式

課税仕入れ等の税額の合計額に課税売上割合を乗じて計算する方法をいう。

(2) 区分していない場合

(1)②の方法による。

３．帳簿及び請求書等の保存（法30⑦⑪）

重要度◎

(1) 内　容

① この規定は、帳簿及び請求書等（注４）を保存しない場合には、適用しない。

（注４）請求書等の交付を受けることが困難である場合、特定課税仕入れに係るものである場合その他の一定の場合には、帳簿

② この規定は、課税仕入れに係る資産が金又は白金の地金である場合に限り、その相手方の本人確認書類を保存しない場合には、適用しない。

(2) 宥恕規定

災害その他やむを得ない事情により保存できなかったことを証明した場合は、この限りでない。

４．保存期間（令50①②）

重要度○

帳簿はその閉鎖日、請求書等はその受領日（電磁的記録はその提供を受けた日）、本人確認書類はその課税仕入れの日の属する課税期間の末日の翌日から２月を経過した日から７年間、納税地又は事務所等の所在地に保存しなければならない。

ただし、一定の帳簿又は請求書等については、同日から５年間を超えて保存することを要しない。

5．課税売上割合に準ずる割合（法30③、令47①⑥）

重要度○

(1) 内　容

個別対応方式による場合において、課税売上割合に準ずる割合で次の要件の全てに該当するものがあるときは、その承認を受けた日の属する課税期間以後の課税期間については、課税売上割合に代えて、その割合を適用する。

① 事業の種類等に応じて合理的に算定されるものであること。

② 納税地の所轄税務署長の承認を受けたものであること。

(2) 手　続

(1)の承認を受けようとする事業者は、課税売上割合に準ずる割合の適用承認申請書を、納税地の所轄税務署長に提出しなければならない。

なお、その申請書の提出があった課税期間の末日の翌日から１月以内にその承認があったときは、その課税期間の末日に承認があったものとみなして、その割合を適用する。

(3) 不適用の届出

課税売上割合に準ずる割合の不適用届出書の提出日の属する課税期間以後の課税期間については、その割合は適用しない。

6．一括比例配分方式の継続適用（法30⑤）

重要度○

一括比例配分方式により計算することとした課税期間の初日から２年を経過する日までの間に開始する各課税期間においてその方法を継続して適用した後の課税期間でなければ、個別対応方式により計算することはできない。

７．居住用賃貸建物に係る仕入税額控除の制限（法30⑩、令50の２）　重要度◎

(1) 内　容

この規定は、事業者が国内において行う居住用賃貸建物に係る課税仕入れ等の税額については、適用しない。

(2) 居住用賃貸建物

非課税とされる住宅の貸付けの用に供しないことが明らかな建物（附属設備を含む。）以外の建物（高額特定資産又は調整対象自己建設高額資産に限る。）をいう。

(3) 制限の範囲

① 住宅の貸付けの用に供しないことが明らかな部分がある居住用賃貸建物について、その明らかな部分と居住用賃貸部分とに合理的に区分しているときは、その居住用賃貸部分に係る課税仕入れ等の税額についてのみ、制限する。

② 居住用賃貸建物が自己建設高額特定資産として、高額特定資産を取得した場合の納税義務の免除の特例の適用を受ける場合には、その仕入れを行った場合に該当することとなった日の属する課税期間以後の課税期間におけるその居住用賃貸建物に係る課税仕入れ等の税額についてのみ、制限する。

８．密輸品等と知りながら行った課税仕入れに係る仕入税額控除の制限（法30⑫）　重要度○

この規定は、課税仕入れに係る資産が納付すべき消費税を納付しないで保税地域から引き取られた課税貨物又は輸出物品販売場における免税の規定により消費税が免除された物品に係るものである場合（その課税仕入れを行う事業者が、その消費税が納付されていないこと又は免除されたものであることを知っていた場合に限る。）には、適用しない。

９．留意点（法30①）　重要度○

上記の「課税仕入れ」からは、「特定課税仕入れ」を除く。

10. 用語の意義

重要度○

(1) 課税仕入れ（法２①十二）

事業者が、事業として他の者から資産を譲り受け、若しくは借り受け、又は役務の提供（注５）を受けること（注６）をいう。

（注５）所得税法に規定する給与等を対価とする役務の提供を除く。

（注６）他の者が事業としてその資産を譲り渡し、若しくは貸し付け、又はその役務の提供をしたとした場合に課税資産の譲渡等（消費税が免除されるものを除く。）に該当することとなるものに限る。

(2) 特定課税仕入れ（法５①）

課税仕入れのうち特定仕入れに該当するものをいう。

(3) 課税期間における課税売上高（法30⑥）

① 課税期間が１年である場合

課税期間中に国内において行った課税資産の譲渡等（注７）の対価の額の合計額から、売上げに係る税抜対価の返還等の金額の合計額を控除した残額

（注７）特定資産の譲渡等を除く。

② 課税期間が１年未満の場合

①の残額をその課税期間の月数で除し、12を乗じて計算した金額

(4) 課税売上割合（法30⑥）

課税期間中に国内において行った資産の譲渡等（注７）の対価の額の合計額のうちに課税期間中に国内において行った課税資産の譲渡等（注７）の対価の額の合計額の占める割合として一定の方法により計算した割合をいう。

(5) 特定課税仕入れに係る支払対価の額（法30⑥）

特定課税仕入れの対価の額（注８）をいう。

（注８）対価として支払い、又は支払うべき一切の金銭又は金銭以外の物、権利その他経済的な利益の額をいう。

参考　用　語

次の各用語は、税抜か税込かそれぞれ違いがある。

(1) 課税資産の譲渡等の対価の額 ➡ 税　抜 M2－1 (法28①)

(2) 課税仕入れに係る支払対価の額 ➡ 税　込 M3－2 (法30⑧)

(3) 特定課税仕入れに係る支払対価の額 ➡ 税　抜 M2－1 (法28②)
M3－1 (法30⑥)

3−2　帳簿及び請求書等の意義

1．帳簿の意義（法30⑧）　重要度◎

帳簿とは、次の事項が記載されているものをいう。

(1) 課税仕入れに係るもの

① 課税仕入れの相手方の氏名又は名称

② 課税仕入れを行った年月日

③ 課税仕入れの内容（注1）

④ 課税仕入れに係る支払対価の額（注2）

（注1）軽減対象課税資産の譲渡等に係るものである場合にはその旨を含む。

（注2）対価として支払い、又は支払うべき一切の金銭又は金銭以外の物、権利その他経済的な利益の額とし、消費税額及び地方消費税額に相当する額を含む。

(2) 特定課税仕入れに係るもの

① 特定課税仕入れの相手方の氏名又は名称

② 特定課税仕入れを行った年月日

③ 特定課税仕入れの内容

④ 特定課税仕入れに係る支払対価の額

⑤ 特定課税仕入れに係るものである旨

(3) 保税地域からの引取りに係る課税貨物に係るもの

① 課税貨物を保税地域から引き取った年月日（注3）

（注3）特例申告の場合には、その申告書の提出日を含む。

② 課税貨物の内容

③ 引取りに係る消費税額及び地方消費税額又はその合計額

2．請求書等の意義（法30⑨、令49④⑥）　重要度◎

請求書等とは、次の書類及び電磁的記録をいう。

(1) 事業者に対し課税資産の譲渡等（消費税が免除されるものを除く。）を行う適格請求書発行事業者が、その事業者に交付する適格請求書又は適格簡易請求書

(2) 事業者に対し課税資産の譲渡等（消費税が免除されるものを除く。）を行う適格請求書発行事業者が、その事業者に交付すべき適格請求書又は適格簡易請求書に代えて提供する電磁的記録

(3) 事業者が課税仕入れ（適格請求書発行事業者が行う課税資産の譲渡等（消費税が免除されるものを除く。）に限るものとし、適格請求書の交付を免除されるもの等を除く。）につき作成する仕入明細書等で次の事項が記載されているもの（その課税仕入れの相手方の確認を受けたものに限る。）

①　書類の作成者の氏名又は名称
②　課税仕入れの相手方の氏名又は名称及び登録番号
③　課税仕入れを行った年月日
④　課税仕入れの内容（注１）
⑤　税率の異なるごとに区分して合計した課税仕入れに係る支払対価の額及び適用税率
⑥　消費税額等

(4) 事業者が課税仕入れにつき、媒介等に係る業務を行う者から交付を受ける請求書、納品書等で次の事項が記載されているもの

①　書類の作成者の氏名又は名称及び登録番号
②　課税資産の譲渡等を行った年月日
③　課税資産の譲渡等の内容（注４）
④　課税資産の譲渡等に係る税抜価額又は税込価額を税率の異なるごとに区分して合計した金額及び適用税率
⑤　消費税額等（注５）
⑥　書類の交付を受ける事業者の氏名又は名称

（注４）軽減対象課税資産の譲渡等である場合にはその旨を含む。
（注５）課税資産の譲渡等につき課されるべき消費税額及び地方消費税額に相当する額の合計額として税率の異なるごとに区分して合計した金額ごとに一定の方法により計算した金額

(5) 課税貨物を保税地域から引き取る事業者が税関長から交付を受けるその課税貨物の輸入許可書等で次の事項が記載されているもの

①　所轄税関長
②　課税貨物を保税地域から引き取ることができることとなった年月日（注３）
③　課税貨物の内容
④　引取りに係る消費税の課税標準である金額、消費税額及び地方消費税額
⑤　書類の交付を受ける事業者の氏名又は名称

３．帳簿のみの保存で仕入税額控除の適用がある場合

（令49、法附則53の２、令附則24の２）

重要度○

(1) 請求書等の交付を受けることが困難である場合

① 次の課税仕入れである場合（帳簿に次のいずれかに該当する旨を記載している場合に限る。）

イ 適格請求書の交付が免除される税込価額が３万円未満の公共交通機関による旅客の運送

ロ 適格簡易請求書の記載事項が記載されている入場券等が、使用の際に適格請求書発行事業者により回収される取引（イを除く。）

ハ 古物営業等を営む者の適格請求書発行事業者以外の者からの古物等（棚卸資産に該当するものに限る。）の購入

② 適格請求書の交付義務が免除される税込価額が３万円未満の自動販売機又は自動サービス機からの商品の購入等

③ 適格請求書の交付義務が免除される郵便切手類のみを対価とする郵便・貨物サービス（郵便ポストに差し出されたものに限る。）

④ 従業員等に支給する通常必要と認められる出張旅費、宿泊費、日当及び通勤手当

(2) 特定課税仕入れである場合

(3) 基準期間における課税売上高が１億円以下又は特定期間における課税売上高が5,000万円以下である事業者が、令和５年10月１日から令和11年９月30日までの間に行う税込価額が１万円未満の課税仕入れである場合

４．留意点（法５①、法30①、令48）

重要度○

(1) 上記の「課税資産の譲渡等」からは、「特定資産の譲渡等」を除く。

(2) 上記の「課税仕入れ」からは、「特定課税仕入れ」を除く。

参考

適格請求書発行事業者以外の者から行った課税仕入れに係る税額控除に関する経過措置の適用を受けるために必要な帳簿及び請求書等の記載事項は、次のとおりである。(法30⑧⑨、法附則52、53)

1　帳簿の記載事項

(1)　課税仕入れの相手方の氏名又は名称

(2)　課税仕入れを行った年月日

(3)　課税仕入れの内容（注１）

(4)　課税仕入れに係る支払対価の額（注２）

（注１）軽減対象課税資産の譲渡等に係るものである場合、及び適格請求書発行事業者以外の者から行ったものである場合にはその旨を含む。

（注２）対価として支払い、又は支払うべき一切の金銭又は金銭以外の物、権利その他経済的な利益の額とし、消費税額及び地方消費税額に相当する額を含む。

2　請求書等の記載事項

事業者に対し課税資産の譲渡等（消費税が免除されるものを除く。）を行う他の事業者が、その事業者に交付する請求書、納品書等（電磁的記録を含む。）である場合

(1)　書類の作成者の氏名又は名称

(2)　課税資産の譲渡等を行った年月日

(3)　課税資産の譲渡等の内容（注３）

(4)　税率の異なるごとに区分して合計した課税資産の譲渡等に係る税込価額

(5)　書類の交付を受ける事業者の氏名又は名称

（注３）軽減対象課税資産の譲渡等である場合にはその旨を含む。

なお、請求書等の内容につき、(3)の軽減対象課税資産の譲渡等である旨及び(4)の記載がない場合に限り、交付を受けた事業者が自ら追記することができる。

3　留意点

(1)　上記の「課税資産の譲渡等」からは、「特定資産の譲渡等」を除く。

(2)　上記の「課税仕入れ」からは、「特定課税仕入れ」を除く。

3−3 課税仕入れに係る消費税額の計算

1．請求書等積上げ計算（令46①、49①④）

重要度◎

課税仕入れに係る消費税額とは、次の区分に応じそれぞれの金額の合計額に100分の78を乗じて算出した金額とする。

(1) 適格請求書の交付を受けた課税仕入れ
　適格請求書に記載されている消費税額等のうちその課税仕入れに係る部分の金額

(2) 適格簡易請求書の交付を受けた課税仕入れ
　適格簡易請求書に記載されている消費税額等（注１）のうちその課税仕入れに係る部分の金額

（注１）消費税額等の記載がないときは、一定の方法により算出した金額

(3) 電磁的記録の提供を受けた課税仕入れ
　電磁的記録に記録されている消費税額等のうちその課税仕入れに係る部分の金額

(4) 課税仕入れにつき作成する**仕入明細書等**（その課税仕入れの相手方の確認を受けたものに限る。）又はその**仕入明細書等**に係る**電磁的記録**を作成した課税仕入れ
　仕入明細書等に記載され、又は**電磁的記録**に記録されている消費税額等（**課税仕入れに係る支払対価の額に110分の10**（注２）を乗じて算出した金額）のうちその課税仕入れに係る部分の金額

（注２）軽減対象課税資産の譲渡等に係るものである場合には、108分の８

(5) 課税仕入れにつき、媒介等に係る業務を行う者から交付を受ける請求書、納品書等で一定の事項が記載されているものの交付、又はその書類に係る電磁的記録の提供を受けた課税仕入れ
　書類に記載され、又は**電磁的記録**に記録されている消費税額等のうちその課税仕入れに係る部分の金額

(6) 請求書等の交付を受けることが**困難**な課税仕入れとして一定のもの
　課税仕入れに係る支払対価の額に110分の10（注２）を乗じて算出した金額

２．帳簿積上げ計算（令46②）

重要度◎

事業者が、その課税期間に係る課税仕入れについて、その課税仕入れの都度、**課税仕入れに係る支払対価の額に110分の10**（注２）を乗じて算出した金額を帳簿に記載している場合には、１にかかわらず、その金額を合計した金額に100分の78を乗じて算出した金額を、**課税仕入れに係る消費税額**とすることができる。

３．総額割戻し計算（令46③）

重要度◎

その課税期間に係る税率の異なるごとに区分した課税標準額に対する消費税額の計算につき、積上げ計算の特例の適用を受けない事業者は、１にかかわらず、２の適用を受ける場合を除き、その課税期間中に国内において行った**課税仕入れに係る支払対価の額**を税率の異なるごとに区分して合計した金額に、**課税資産の譲渡等**（軽減対象課税資産の譲渡等を除く。）に係る部分については**110分の7.8**を、**軽減対象課税資産の譲渡等**に係る部分については**108分の6.24**をそれぞれ乗じて算出した金額の合計額を、**課税仕入れに係る消費税額**とすることができる。

４．留意点（令46①③）

重要度○

(1) 上記の「課税仕入れ」からは、「**特定課税仕入れ**」を除く。
(2) 上記の「課税資産の譲渡等」からは、「**特定資産の譲渡等**」を除く。

3−4 課税売上割合

1．課税売上割合（令48①）　重要度◎

課税売上割合とは、(1)の金額のうちに(2)の金額の占める割合をいう。

(1) 課税期間中に国内において行った資産の譲渡等の対価の額の合計額から、課税期間中に国内において行った資産の譲渡等に係る対価の返還等の金額の合計額を控除した残額

(2) 課税期間中に国内において行った課税資産の譲渡等の対価の額の合計額から、売上げに係る税抜対価の返還等の金額の合計額を控除した残額

2．含まないもの（令48②）　重要度◎

１(1)の資産の譲渡等には、次の資産の譲渡は含まない。

(1) 支払手段等の譲渡

(2) 金銭債権のうち資産の譲渡等を行った者がその資産の譲渡等の対価として取得したものの譲渡

(3) 現先取引債券等をあらかじめ約定した期日にあらかじめ約定した価格等で買い戻すことを約して譲渡し、かつ、その約定に基づき買い戻す場合におけるその現先取引債券等の譲渡

3．買現先取引（令48③）　重要度○

現先取引債券等をあらかじめ約定した期日にあらかじめ約定した価格等で売り戻すことを約して購入し、かつ、その約定に基づき売り戻した場合には、その売戻しに係る１(1)の資産の譲渡等の対価の額は、その売戻しに係る対価の額からその購入に係る対価の額を控除した残額とする。

この場合において、控除して控除しきれない金額があるときは、１(1)の金額からその金額を控除する。

4．金銭債権の譲受け（令48④）　重要度○

貸付金その他の金銭債権の譲受けその他の承継（包括承継を除く。）が行われた場合における対価は、利子とする。

5．有価証券等又は金銭債権の譲渡（令48⑤）

重要度◎

一定の**有価証券等**の譲渡をした場合（2(3)、3を除く。）又は**金銭債権**（2(2)を除く。）の譲渡をした場合には、その譲渡に係る1(1)の金額は、その譲渡対価の額の**5%**に相当する金額とする。

6．国債等の償還差額（令48⑥）

重要度○

国債等の償還金額が取得価額に満たない場合には、1(1)の金額から償還差損を控除する。

7．留意点（令48①）

重要度○

上記の「資産の譲渡等」及び「課税資産の譲渡等」からは、「**特定資産の譲渡等**」を除く。

3−5 非課税資産の輸出等

1．非課税資産の輸出　重要度◎

(1) 内　容（法31①）

事業者（免税事業者を除く。）が国内において**非課税資産の譲渡等**のうち輸出取引等に該当するものを行った場合において、その証明がされたものは、**課税資産の譲渡等に係る輸出取引等**に該当するものとみなして、**仕入れに係る消費税額の控除**の規定を適用する。

(2) 非課税資産の譲渡等のうち輸出取引等に該当するもの（法7①、令17②③）

① 本邦からの輸出として行われる非課税資産の譲渡、貸付け

② 非課税とされる外国貨物の譲渡、貸付け（①を除く。）

③ 非居住者に対する非課税とされる役務の提供（一定のものを除く。）

④ 利子を対価とする金銭の貸付け等でその債務者が非居住者であるもの

(3) 課税売上割合（令51②）

国内において行った**非課税資産の譲渡等**のうち輸出取引等に該当するものの対価の額は、**課税資産の譲渡等の対価の額**の合計額に含まれる。

また、国内において行った**資産の譲渡等**に係る対価の返還等の金額のうちその輸出取引等に該当するものに係る金額は、**売上げに係る税抜対価の返還等の金額**の合計額に含まれる。

(4) 証明方法（規16①）

輸出の事実を記載した書類等を整理し、その非課税資産の譲渡等を行った日の属する課税期間の末日の翌日から2月を経過した日から7年間、納税地又は事務所等の所在地に保存することにより証明する。

２．資産の国外移送　重要度◎

(1) **内　容**（法31②）

事業者（免税事業者を除く。）が国外における資産の譲渡等又は自己の使用のため、資産を輸出した場合において、その証明がされたものは、課税資産の譲渡等に係る輸出取引等に該当するものとみなして、仕入れに係る消費税額の控除の規定を適用する。

(2) **課税売上割合**（令51③④）

本船甲板渡し価格は、資産の譲渡等の対価の額の合計額及び課税資産の譲渡等の対価の額の合計額にそれぞれ含まれる。

(3) **証明方法**（規16②）

輸出の事実を記載した書類等を整理し、その輸出をした日の属する課税期間の末日の翌日から２月を経過した日から７年間、納税地又は事務所等の所在地に保存することにより証明する。

３．含まないもの（令51①）　重要度○

有価証券、支払手段、金銭債権の輸出は、１の輸出取引等及び２の資産の輸出には含まない。

４．留意点（法５①、令48①②）　重要度○

上記の「資産の譲渡等」及び「課税資産の譲渡等」からは、「特定資産の譲渡等」を除く。

3−6 仕入れに係る対価の返還等

１．仕入れに係る対価の返還等を受けた場合（法32①）　重要度◎

事業者（免税事業者を除く。）が国内において行った課税仕入れ（仕入れに係る消費税額の控除の規定の適用を受けたものに限る。）又は特定課税仕入れにつき、返品をし、又は値引き若しくは割戻しを受けたことにより、仕入れに係る対価の返還等（注１）を受けた場合には、一定の金額をその返還等を受けた日の属する課税期間の課税仕入れ等の税額の合計額とみなして、仕入れに係る消費税額の控除の規定を適用する。

（注１）仕入れに係る対価の返還等とは、国内において行った課税仕入れに係る支払対価の額若しくは特定課税仕入れに係る支払対価の額の全部若しくは一部の返還又はその支払対価の額に係る買掛金等の全部若しくは一部の減額をいう。

２．課税仕入れ等の税額の合計額の計算方法（法32①）　重要度○

(1)　全額が控除される場合

①から②を控除した残額

①　課税仕入れ等の税額の合計額

②　仕入れに係る対価の返還等を受けた金額に係る消費税額（注２）の合計額

（注２）仕入れに係る対価の返還等を受けた金額に係る消費税額とは、課税仕入れに係る支払対価の額につき返還を受けた金額又は減額を受けた債務の額に110分の7.8（軽減対象課税資産の譲渡等に係るものである場合は108分の6.24）を乗じて算出した金額及び特定課税仕入れに係る支払対価の額につき返還を受けた金額又は減額を受けた債務の額に100分の7.8を乗じて算出した金額をいう。

(2)　個別対応方式の場合

①から②を控除した残額に③から④を控除した残額を加算した金額

①　課税資産の譲渡等にのみ要する課税仕入れ等の税額の合計額

②　課税資産の譲渡等にのみ要する課税仕入れにつき仕入れに係る対価の返還等を受けた金額に係る消費税額の合計額

③　課税資産の譲渡等とその他の資産の譲渡等に共通して要する課税仕入れ等の税額の合計額に課税売上割合を乗じて計算した金額

④　課税資産の譲渡等とその他の資産の譲渡等に共通して要する課税仕入れにつき仕入れに係る対価の返還等を受けた金額に係る消費税額の合計額に課税売上割合を乗じて計算した金額

(3) 一括比例配分方式の場合

①から②を控除した残額

① 課税仕入れ等の税額の合計額に課税売上割合を乗じて計算した金額

② 仕入れに係る対価の返還等を受けた金額に係る消費税額の合計額に課税売上割合を乗じて計算した金額

3．控除しきれない場合 (法32②)

重要度○

仕入れに係る対価の返還等を受けた金額に係る消費税額の合計額を課税仕入れ等の税額の合計額から控除して控除しきれない金額は、課税資産の譲渡等に係る消費税額とみなして、課税標準額に対する消費税額に加算する。

4．相続、合併、分割の場合 (法32③⑦)

重要度○

(1) 相続により事業を承継した相続人が、被相続人により行われた課税仕入れ又は特定課税仕入れにつき仕入れに係る対価の返還等を受けた場合には、その相続人が行った課税仕入れ又は特定課税仕入れにつき仕入れに係る対価の返還等を受けたものとみなして、この規定を適用する。

(2) (1)の規定は、合併により被合併法人から事業を承継した合併法人又は分割により分割法人から事業を承継した分割承継法人について準用する。

5．消費税額の計算の特例 (令52)

重要度○

(1) 仕入れに係る対価の返還等につき適格返還請求書の交付を受け、又は適格返還請求書に係る電磁的記録の提供を受けた事業者は、１にかかわらず、その適格返還請求書に記載され、又はその電磁的記録に記録された消費税額等（消費税額等の記載又は記録がないときは、一定の方法により算出した金額）に100分の78を乗じて算出した金額を仕入れに係る対価の返還等を受けた金額に係る消費税額として、この規定を適用することができる。

(2) 事業者が、仕入れに係る対価の返還等を受けた場合において、その返還等を受けた金額が課税資産の譲渡等（特定資産の譲渡等及び軽減対象課税資産の譲渡等を除く。）に係る部分と軽減対象課税資産の譲渡等に係る部分とに合理的に区分されていないときは、その返還等を受けた金額に、一定の割合を乗じて計算した金額を、軽減対象課税資産の譲渡等に係る部分の金額として、この規定を適用する。

6．留意点 (法30①)

重要度○

上記の「課税仕入れ」からは、「特定課税仕入れ」を除く。

3−7　課税貨物に係る消費税額の還付

1．課税貨物に係る消費税額の還付を受ける場合（法32④）　重要度◎

事業者（免税事業者を除く。）が保税地域からの引取りに係る課税貨物に係る消費税額の全部又は一部につき、他の法律の規定により、還付を受ける場合には、一定の金額をその還付を受ける日の属する課税期間の**課税仕入れ等の税額**の合計額とみなして、仕入れに係る消費税額の控除の規定を適用する。

2．課税仕入れ等の税額の合計額の計算方法（法32④）　重要度○

(1)　全額が控除される場合

①から②を控除した残額

①　**課税仕入れ等の税額**の合計額（仕入れに係る対価の返還等を受けた金額に係る消費税額の合計額を控除した残額）

②　還付を受ける消費税額の合計額

(2)　個別対応方式の場合

①から②を控除した残額に③から④を控除した残額を加算した金額

①　課税資産の譲渡等にのみ要する**課税仕入れ等の税額**の合計額（仕入れに係る対価の返還等を受けた金額に係る消費税額の合計額を控除した残額）

②　課税資産の譲渡等にのみ要する課税貨物につき還付を受ける消費税額の合計額

③　課税資産の譲渡等とその他の資産の譲渡等に共通して要する**課税仕入れ等の税額**の合計額に**課税売上割合**を乗じて計算した金額（仕入れに係る対価の返還等を受けた金額に係る消費税額の合計額に**課税売上割合**を乗じて計算した金額を控除した残額）

④　課税資産の譲渡等とその他の資産の譲渡等に共通して要する課税貨物につき還付を受ける消費税額の合計額に**課税売上割合**を乗じて計算した金額

(3)　**一括比例配分方式の場合**

①から②を控除した残額

①　**課税仕入れ等の税額**の合計額に**課税売上割合**を乗じて計算した金額（仕入れに係る対価の返還等を受けた金額に係る消費税額の合計額に課税売上割合を乗じて計算した金額を控除した残額）

②　還付を受ける消費税額の合計額に**課税売上割合**を乗じて計算した金額

３．控除しきれない場合（法32⑤）

重要度○

還付を受ける消費税額の合計額を課税仕入れ等の税額の合計額から控除して控除しきれない金額は、**課税資産の譲渡等に係る消費税額**とみなして、**課税標準額に対する消費税額**に加算する。

４．相続、合併、分割の場合（法32⑥⑦）

重要度○

(1)　相続により事業を承継した相続人が、被相続人による保税地域からの引取りに係る課税貨物に係る消費税額の全部又は一部につき、他の法律の規定により、還付を受ける場合には、その相続人による保税地域からの引取りに係る課税貨物に係る消費税額の全部又は一部につき還付を受けるものとみなして、この規定を適用する。

(2)　(1)の規定は、合併により被合併法人から事業を承継した合併法人又は分割により分割法人から事業を承継した分割承継法人について準用する。

3−8　課税売上割合が著しく変動した場合の消費税額の調整

１．課税売上割合が著しく変動した場合（法33①、令53①②）　重要度◎

(1) 内　容

事業者（免税事業者を除く。）が国内において調整対象固定資産の課税仕入れ若しくは特定課税仕入れを行い、又は課税貨物を保税地域から引き取り、かつ、その課税仕入れ等の税額につき比例配分法により仕入れに係る消費税額を計算した場合（注１）において、その事業者（注２）が第３年度の課税期間の末日においてその調整対象固定資産を有しており、かつ、第３年度の課税期間の通算課税売上割合が仕入れ等の課税期間の課税売上割合に対して著しく増加又は著しく減少したときは、調整税額をその第３年度の課税期間の仕入れに係る消費税額に加算し又は控除する。

この場合において、その加算後又はその控除後の金額をその課税期間の仕入れに係る消費税額とみなす。

（注１）課税仕入れ等の税額の全額が控除された場合を含む。

（注２）事業を承継した課税事業者である相続人、合併法人、分割承継法人を含む。

(2) 調整税額

①　著しい増加 …… ロ－イ

②　著しい減少 …… イ－ロ

イ　調整対象基準税額に仕入れ等の課税期間の課税売上割合を乗じて計算した消費税額の合計額（仕入れ等の課税期間に全額が控除された場合には、調整対象基準税額の合計額）

ロ　調整対象基準税額に通算課税売上割合を乗じて計算した消費税額の合計額

(3) 著しく変動した場合

次のいずれも満たす場合をいう。

①　変動率が50%以上であること

変動率とは、仕入れ等の課税期間の課税売上割合のうちに、通算課税売上割合と仕入れ等の課税期間の課税売上割合のいずれか大きい割合から小さい割合を控除した割合の占める割合をいう。

②　変動差が５%以上であること

変動差とは、仕入れ等の課税期間の課税売上割合と通算課税売上割合との差をいう。

2．控除しきれない場合（法33③）

重要度○

課税売上割合が著しく減少したことにより、調整税額を仕入れに係る消費税額から控除して控除しきれない金額は、課税資産の譲渡等に係る消費税額とみなして、課税標準額に対する消費税額に加算する。

3．用語の意義（法2①十六、33①②、令5、53③）

重要度○

(1) 調整対象固定資産

棚卸資産以外の資産で建物、構築物、鉱業権その他の資産のうち、次の金額が一の取引単位につき100万円以上のものをいう。

① 課税仕入れに係る支払対価の額の110分の100に相当する金額

② 特定課税仕入れに係る支払対価の額

③ 保税地域から引き取られるその資産の課税標準である金額

(2) 比例配分法

次に定める方法をいう。

① 個別対応方式により課税資産の譲渡等とその他の資産の譲渡等に共通して要する課税仕入れ等の税額の合計額に課税売上割合を乗じて計算する方法

② 一括比例配分方式

(3) 第3年度の課税期間

仕入れ等の課税期間の開始の日から3年を経過する日の属する課税期間をいう。

(4) 通算課税売上割合

仕入れ等の課税期間から第3年度の課税期間までの各課税期間に適用されるべき課税売上割合を一定の方法により通算した課税売上割合をいう。

(5) 仕入れ等の課税期間

調整対象固定資産の課税仕入れ等の日の属する課税期間をいう。

(6) 調整対象基準税額

第3年度の課税期間の末日に有する調整対象固定資産の課税仕入れ等の税額をいう。

4．留意点（法30①）

重要度○

上記の「課税仕入れ」からは、「特定課税仕入れ」を除く。

3−9 調整対象固定資産を転用した場合の消費税額の調整

1．課税業務用から非課税業務用に転用した場合　重要度◎

(1) **内　容**（法34①）

事業者（免税事業者を除く。）が国内において調整対象固定資産の**課税仕入れ**若しくは**特定課税仕入れ**を行い、又は**課税貨物**を保税地域から引き取り、かつ、その**課税仕入れ等の税額**につき**個別対応方式**により**課税資産の譲渡等**にのみ要するものとして**仕入れに係る消費税額**を計算した場合において、その事業者（注）がその調整対象固定資産をその課税仕入れ等の日から３年以内に**その他の資産の譲渡等**に係る業務の用に供したときは、調整税額をその業務の用に供した日の属する課税期間の**仕入れに係る消費税額**から控除する。

この場合において、その控除後の金額をその課税期間の**仕入れに係る消費税額**とみなす。

（注）事業を承継した課税事業者である相続人、合併法人、分割承継法人を含む。

(2) **控除しきれない場合**（法34②）

調整税額を仕入れに係る消費税額から控除して控除しきれない金額は、**課税資産の譲渡等に係る消費税額**とみなして、**課税標準額に対する消費税額**に加算する。

2．非課税業務用から課税業務用に転用した場合（法35①）　重要度◎

事業者（免税事業者を除く。）が国内において調整対象固定資産の**課税仕入れ**若しくは**特定課税仕入れ**を行い、又は**課税貨物**を保税地域から引き取り、かつ、その課税仕入れ等の税額につき個別対応方式により**その他の資産の譲渡等**にのみ要するものとして**仕入れに係る消費税額**がないこととした場合において、その事業者（注）がその調整対象固定資産をその課税仕入れ等の日から３年以内に**課税資産の譲渡等**に係る業務の用に供したときは、調整税額をその業務の用に供した日の属する課税期間の**仕入れに係る消費税額**に加算する。

この場合において、その加算後の金額をその課税期間の**仕入れに係る消費税額**とみなす。

３．調整税額（法34①、35①）　重要度◎

調整対象固定資産の課税仕入れ等の日から、次の期間に応じそれぞれによる。

(1)　１年以内

調整対象税額

(2)　１年超２年以内

調整対象税額の３分の２

(3)　２年超３年以内

調整対象税額の３分の１

４．用語の意義（法２①十六、34①、35①、令５）　重要度○

(1)　調整対象固定資産

棚卸資産以外の資産で建物、構築物、鉱業権その他の資産のうち、次の金額が一の取引単位につき100万円以上のものをいう。

①　**課税仕入れに係る支払対価の額の110分の100**に相当する金額

②　**特定課税仕入れに係る支払対価の額**

③　保税地域から引き取られるその資産の課税標準である金額

(2)　調整対象税額

調整対象固定資産の**課税仕入れ等の税額**をいう。

５．留意点（法30①）　重要度○

上記の「課税仕入れ」からは、「**特定課税仕入れ**」を除く。

3−10 居住用賃貸建物を課税賃貸用に供した場合等の消費税額の調整

1．課税賃貸用に供した場合（法35の2①）　重要度◎

(1) 内　容

事業者（免税事業者を除く。）が、居住用賃貸建物に係る仕入税額控除の制限の適用を受けた場合において、その事業者（注1）が第3年度の課税期間の末日においてその居住用賃貸建物を有しており、かつ、その居住用賃貸建物の全部又は一部を調整期間に課税賃貸用に供したときは、調整税額をその第3年度の課税期間の仕入れに係る消費税額に加算する。

この場合において、その加算後の金額をその課税期間の仕入れに係る消費税額とみなす。

（注1）事業を承継した課税事業者である相続人、合併法人、分割承継法人を含む。

(2) 調整税額

居住用賃貸建物に係る課税仕入れ等の税額に課税賃貸割合を乗じて計算した消費税額

2．譲渡した場合（法35の2②）　重要度◎

(1) 内　容

事業者（免税事業者を除く。）が、居住用賃貸建物に係る仕入税額控除の制限の適用を受けた場合において、その事業者（注1）がその居住用賃貸建物の全部又は一部を調整期間に他の者に譲渡したとき（注2）は、調整税額をその譲渡をした課税期間の仕入れに係る消費税額に加算する。

この場合において、その加算後の金額をその課税期間の仕入れに係る消費税額とみなす。

（注2）みなし譲渡を含む。

(2) 調整税額

その譲渡をした居住用賃貸建物に係る課税仕入れ等の税額に課税譲渡等割合を乗じて計算した消費税額

３．調整対象となる居住用賃貸建物の範囲等（令53の４）

重要度○

(1) この規定は、居住用賃貸建物について仕入税額控除の制限の適用を受けた部分についてのみ、適用する。
(2) 居住用賃貸建物の譲渡には、代物弁済による資産の譲渡その他一定のものを含むものとする。

４．用語の意義（法30⑩、35の２③、令53の３）

重要度○

(1) 居住用賃貸建物

非課税とされる住宅の貸付けの用に供しないことが明らかな建物（附属設備を含む。）以外の建物（高額特定資産又は調整対象自己建設高額資産に限る。）をいう。

(2) 居住用賃貸建物の仕入れ等の日

居住用賃貸建物の課税仕入れの日（注３）をいう。

（注３）自己建設高額特定資産である場合には、その建設等が完了した日

なお、居住用賃貸建物について棚卸資産の調整の適用を受けた場合の納税義務の免除の特例の適用を受ける場合には、棚卸資産の調整に規定する場合に該当することとなった日（調整対象自己建設高額資産であり、かつ、同日の前日までに建設等が完了していない場合にあっては、完了した日）とする。

(3) 第３年度の課税期間

居住用賃貸建物の仕入れ等の日の属する課税期間の開始の日から３年を経過する日の属する課税期間をいう。

(4) 調整期間

居住用賃貸建物の仕入れ等の日から第３年度の課税期間の末日までの間をいう。

(5) 課税譲渡等調整期間

居住用賃貸建物の仕入れ等の日からその居住用賃貸建物を他の者に譲渡した日までの間をいう。

(6) 課税賃貸割合

調整期間に行ったその居住用賃貸建物の貸付けの対価の額の合計額のうちに、その居住用賃貸建物の課税賃貸用の貸付けの対価の額の合計額の占める割合をいう。

(7) 課税譲渡等割合

課税譲渡等調整期間に行ったその居住用賃貸建物の貸付けの対価の額の合計額及びその居住用賃貸建物の譲渡の対価の額の合計額のうちに、その居住用賃貸建物の課税賃貸用の貸付けの対価の額の合計額及びその居住用賃貸建物の譲渡の対価の額の合計額の占める割合をいう。

参考

４⑵の「棚卸資産の調整の適用を受けた場合の納税義務の免除の特例」とは、M１－13の２を指す。

（MEMO）

3−11 棚卸資産に係る消費税額の調整

1．免税事業者が課税事業者となった場合（法36①）　重要度◎

免税事業者が、課税事業者となった場合において、その課税事業者となった課税期間の初日（注１）の前日において、免税事業者であった期間中に国内において譲り受けた課税仕入れに係る棚卸資産又はその期間における保税地域からの引取りに係る課税貨物で棚卸資産に該当するもの（注２）を有しているときは、その棚卸資産に係る消費税額（注３）をその課税期間の仕入れに係る消費税額の計算の基礎となる課税仕入れ等の税額とみなす。

（注１）相続、吸収合併又は吸収分割があった場合の納税義務の免除の特例により課税事業者となった場合には、その課税事業者となった日

（注２）棚卸資産を原材料として製作又は建設された棚卸資産を含む。

（注３）棚卸資産の取得に要した費用の額として一定の金額に110分の7.8（軽減対象課税資産の譲渡等に係るものである場合又は軽減対象課税貨物である場合には108分の6.24）を乗じて算出した金額

2．事業を承継した場合（法36③）　重要度○

(1) 個人事業者（免税事業者を除く。）が相続により免税事業者である被相続人の事業を承継した場合において、その被相続人が免税事業者であった期間中に国内において譲り受けた課税仕入れに係る棚卸資産又はその期間における保税地域からの引取りに係る課税貨物で棚卸資産に該当するもの（注２）を引き継いだときは、その棚卸資産に係る消費税額（注３）をその引継ぎを受けた事業者のその相続があった日の属する課税期間の仕入れに係る消費税額の計算の基礎となる課税仕入れ等の税額とみなす。

(2) (1)の規定は、法人（免税事業者を除く。）が合併又は分割により免税事業者である被合併法人又は分割法人の事業を承継した場合について準用する。

3．書類の保存（法36②④）　重要度◎

１又は２の規定は、棚卸資産の明細を記録した書類を保存しない場合には、適用しない。

ただし、災害その他やむを得ない事情により保存できなかったことを証明した場合は、この限りでない。

４．課税事業者が免税事業者となった場合（法36⑤）

重要度◎

課税事業者が、免税事業者となった場合において、その免税事業者となった課税期間の初日の前日において、その前日の属する課税期間中に国内において譲り受けた課税仕入れに係る棚卸資産又はその課税期間における保税地域からの引取りに係る課税貨物で棚卸資産に該当するもの（注２）を有しているときは、その棚卸資産に係る消費税額（注３）は、その課税期間の仕入れに係る消費税額の計算の基礎となる課税仕入れ等の税額に含まれない。

５．棚卸資産（法２①十五、令４）

重要度○

商品、製品、半製品、仕掛品、原材料その他の資産で棚卸をすべきものをいう。

６．留意点（法30①）

重要度○

上記の「課税仕入れ」からは、「特定課税仕入れ」を除く。

3−12 中小事業者の仕入れに係る消費税額の控除の特例（簡易課税制度）

1．簡易課税の選択の届出（法37①）　重要度◎

(1) 内　容

事業者（免税事業者及びその課税期間の初日において恒久的施設を有しない国外事業者を除く。）が、納税地の所轄税務署長にその基準期間における課税売上高が5,000万円以下である課税期間（分割等に係る課税期間を除く。）について簡易課税制度選択届出書を提出した場合には、提出日の属する課税期間の翌課税期間（注１）以後の課税期間（注２）については、課税標準額に対する消費税額から控除することができる課税仕入れ等の税額の合計額は、原則にかかわらず、一定の金額とする。

この場合において、その金額は、その課税期間の仕入れに係る消費税額とみなす。

（注１）提出日の属する課税期間が事業を開始した日の属する課税期間その他の一定の課税期間である場合には、その課税期間

（注２）基準期間における課税売上高が5,000万円を超える課税期間及び分割等に係る課税期間を除く。

(2) 控除税額

次の金額の合計額とする。

① 課税資産の譲渡等（消費税が免除されるものを除く。）に係る課税標準である金額の合計額に対する消費税額から売上げに係る対価の返還等の金額に係る消費税額の合計額を控除した残額にみなし仕入率を乗じて計算した金額

② 特定課税仕入れに係る課税標準である金額の合計額に対する消費税額から特定課税仕入れに係る対価の返還等を受けた金額に係る消費税額の合計額を控除した残額

２．選択届出書の提出制限（法37③④）

重要度○

(1) 内　容

簡易課税の適用を受けようとする事業者が、次の場合には、その仕入れ等の日の属する課税期間の初日（注３）からその初日（注４）（注５）以後３年を経過する日の属する課税期間の初日の前日までの期間は、簡易課税制度選択届出書を提出することができない。

（注３）下記③の場合は、棚卸資産の調整の適用を受けた課税期間の初日

（注４）下記②の場合で、自己建設高額特定資産にあっては、その建設等が完了した日の属する課税期間の初日

（注５）下記③の場合で、調整対象自己建設高額資産の建設等が調整適用日（棚卸資産の調整に規定する場合に該当することとなった日）の前日までに完了していない場合にあっては、その建設等が完了した日の属する課税期間の初日

①　調整対象固定資産

イ　その仕入れ等に係る課税事業者選択不適用届出書の提出制限を受ける場合

ロ　新設法人又は特定新規設立法人が、その基準期間がない事業年度に含まれる各課税期間中にその仕入れ等を行った場合

②　高額特定資産

その仕入れ等を行った場合（①に該当する場合を除く。）

③　棚卸資産

高額特定資産である棚卸資産若しくは課税貨物又は調整対象自己建設高額資産について棚卸資産の調整の適用を受けた場合（①②に該当する場合を除く。）

④　一定の金地金等

その仕入れ等を行った場合（①②③に該当する場合を除く。）

(2) 適用除外

(1)の規定は、事業を開始した日の属する課税期間その他の一定の課税期間から簡易課税の適用を受けようとする場合には、適用しない。

(3) 提出がなかったものとみなす場合

(1)の場合において、その仕入れ等の日（注６）の属する課税期間の初日からその仕入れ等の日（注６）までの間に簡易課税制度選択届出書を納税地の所轄税務署長に提出しているときは、その提出は、なかったものとみなす。

（注６）上記(1)③の場合は、調整適用日

3. 選択不適用の届出（法37⑤～⑦）

重要度◎

(1) 簡易課税制度選択届出書を提出した事業者は、その適用を受けることをやめようとするとき、又は事業を廃止したときは、簡易課税制度選択不適用届出書を納税地の所轄税務署長に提出しなければならない。

(2) 簡易課税制度選択届出書を提出した事業者は、事業を廃止した場合を除き、その届出の効力が生ずる課税期間の初日から2年を経過する日の属する課税期間の初日以後でなければ、簡易課税制度選択不適用届出書を提出することができない。

(3) 簡易課税制度選択不適用届出書の提出があったときは、提出日の属する課税期間の末日の翌日以後は、簡易課税の選択の届出は、その効力を失う。

4. 一定の課税期間（令56①）

重要度○

(1) 国内において課税資産の譲渡等に係る事業を開始した日の属する課税期間

(2) 相続により簡易課税の適用を受けていた被相続人の事業を承継した場合におけるその相続があった日の属する課税期間（相続年の納税義務の免除の特例により課税事業者となる課税期間に限る。）

(3) 吸収合併により簡易課税の適用を受けていた被合併法人の事業を承継した場合におけるその吸収合併があった日の属する課税期間（吸収合併事業年度の納税義務の免除の特例により課税事業者となる課税期間に限る。）

(4) 吸収分割により簡易課税の適用を受けていた分割法人の事業を承継した場合におけるその吸収分割があった日の属する課税期間（吸収分割事業年度の納税義務の免除の特例により課税事業者となる課税期間に限る。）

5. 宥恕規定（法37⑧、令57の2）

重要度○

事業者が、やむを得ない事情があるため簡易課税制度選択届出書又は簡易課税制度選択不適用届出書を1の適用を受けようとし又は受けることをやめようとする課税期間の初日の前日（注7）までに提出できなかった場合において、一定の申請書を、その事情がやんだ後相当の期間内に、納税地の所轄税務署長に提出し承認を受けたときは、これらの届出書をその課税期間の初日の前日に税務署長に提出したものとみなす。

（注7）その課税期間が一定の課税期間である場合には、その課税期間の末日

6. 留意点（法5①、令48①）

重要度○

上記の「課税資産の譲渡等」からは、「特定資産の譲渡等」を除く。

プラスα

上記**「５.宥恕規定」**の適用にあたって、提出する申請書は、次のとおりである。
⇒消費税簡易課税制度選択（不適用）届出に係る特例承認申請書（法37⑧、令57の２）

参考　簡易課税制度選択届出書の提出制限

「**２.選択届出書の提出制限**」中の関連規定は、次のとおりである。

(1)　内　容

① 調整対象固定資産

イ　⇒　Ｍ１－６の５

ロ　⇒　Ｍ１－11の３、Ｍ１－12の３

② 高額特定資産

⇒　Ｍ１－13の１

③ 棚卸資産

⇒　Ｍ１－13の２

④ 一定の金地金等

⇒　Ｍ１－13の３

参考　⇒２.(1)の「棚卸資産の調整」とは、次のものを指す。

Ｍ３－11の１.「免税事業者が課税事業者となった場合（法36①）」
Ｍ３－11の２.「事業を承継した場合（法36③）」

3-13 簡易課税の適用がない分割等に係る課税期間

1．分割等に係る課税期間（令55）　重要度○

簡易課税の適用がない分割等に係る課税期間は、次の課税期間とする。

(1) 新設分割子法人

①　分割事業年度

分割等があった場合において、次の要件を満たすときの、新設分割子法人の分割等があった日の属する事業年度に含まれる課税期間

【要　件】

新設分割親法人の基準期間に対応する期間における課税売上高として一定の金額（注１）が5,000万円を超えること

（注１）新設分割親法人が２以上ある場合には、いずれかの新設分割親法人に係るその金額

②　分割事業年度の翌事業年度

その事業年度開始の日の１年前の日の前日からその事業年度開始の日の前日までの間に分割等があった場合において、次の要件を満たすときの、新設分割子法人のその事業年度に含まれる課税期間

【要　件】

新設分割親法人の基準期間に対応する期間における課税売上高として一定の金額（注１）が5,000万円を超えること

③　分割事業年度の翌々事業年度以後

その事業年度開始の日の１年前の日の前々日以前に分割等（注２）があった場合において、次の要件を満たすときの、新設分割子法人のその事業年度に含まれる課税期間

【要　件】

イ　その事業年度の基準期間の末日に新設分割子法人が特定要件に該当すること

ロ　新設分割子法人の基準期間における課税売上高として一定の金額と新設分割親法人の基準期間に対応する期間における課税売上高として一定の金額との合計額が5,000万円を超えること

（注２）新設分割親法人が２以上ある場合を除く。

(2)　新設分割親法人

その事業年度開始の日の１年前の日の前々日以前に分割等（注２）があった場合において、次の要件を満たすときの、新設分割親法人のその事業年度に含まれる課税期間

【要　件】

イ　その事業年度の基準期間の末日に新設分割子法人が特定要件に該当すること

ロ　新設分割親法人の基準期間における課税売上高と新設分割子法人の基準期間に対応する期間における課税売上高として一定の金額との合計額が5,000万円を超えること

3−14 災害等があった場合の中小事業者の仕入れに係る消費税額の控除の特例（簡易課税制度）の届出に関する特例

１．簡易課税の選択の届出に関する特例　重要度○

(1) 内　容（法37の２①）

災害その他やむを得ない理由が生じたことにより被害を受けた事業者（免税事業者及び簡易課税の適用を受ける事業者を除く。）が、その被害を受けたことにより、その理由の生じた日の属する課税期間（注）に簡易課税の適用を受けることが必要となった場合において、その選択被災課税期間につき納税地の所轄税務署長の承認を受けたときは、簡易課税制度選択届出書をその承認を受けた選択被災課税期間の初日の前日に税務署長に提出したものとみなす。

この場合、簡易課税の選択に係る調整対象固定資産等の仕入れ等を行った場合の規定は、適用しない。

（注）基準期間における課税売上高が5,000万円を超える課税期間及び分割等に係る課税期間を除く。以下「選択被災課税期間」という。

(2) 手　続（法37の２②⑤）

① (1)の承認を受けようとする事業者は、一定の申請書を、その理由のやんだ日から２月以内（そのやんだ日がその申請に係る選択被災課税期間の末日の翌日以後に到来する場合には、確定申告書の提出期限まで）に、納税地の所轄税務署長に提出しなければならない。

② ①の申請に係る選択被災課税期間の末日の翌日から２月を経過する日までに承認又は却下の処分がなかったときは、原則としてその日に承認があったものとみなす。

２．簡易課税の選択の不適用届出に関する特例

重要度◎

(1) 内　容（法37の２⑥）

災害その他やむを得ない理由が生じたことにより被害を受けた事業者（簡易課税の適用を受ける事業者に限る。）が、その被害を受けたことにより、その理由の生じた日の属する課税期間（注）に簡易課税の適用を受けることの必要がなくなった場合において、その**不適用被災課税期間**につき納税地の所轄税務署長の**承認**を受けたときは、**簡易課税制度選択不適用届出書**をその承認を受けた**不適用被災課税期間**の初日の前日に税務署長に提出したものとみなす。

この場合、**簡易課税制度選択不適用届出書**の提出の制限は、適用しない。

（注）その課税期間の翌課税期間以後の課税期間のうち一定のものを含む。以下「不適用被災課税期間」という。

(2) 手　続（法37の２⑦）

１(2)の規定を準用する。

この場合、「**選択被災課税期間**」とあるのは「**不適用被災課税期間**」と読み替える。

プラスα

上記規定の適用にあたって、提出する申請書は、次のとおりである。
⇒災害等による消費税簡易課税制度選択（不適用）届出に係る特例承認申請書
（法37の２、令57の３）

3−15 売上げに係る対価の返還等をした場合の消費税額の控除

１．売上げに係る対価の返還等をした場合（法38①）　重要度◎

事業者（免税事業者を除く。）が、国内において行った課税資産の譲渡等（消費税が免除されるものを除く。）につき、返品を受け、又は値引き若しくは割戻しをしたことにより、売上げに係る対価の返還等（注１）をした場合には、その返還等をした日の属する課税期間の課税標準額に対する消費税額から売上げに係る対価の返還等をした金額に係る消費税額（注２）の合計額を控除する。

（注１）　売上げに係る対価の返還等とは、国内において行った課税資産の譲渡等の税込価額の全部若しくは一部の返還又はその税込価額に係る売掛金等の全部若しくは一部の減額をいう。

（注２）　税込価額に110分の7.8（軽減対象課税資産の譲渡等に係るものである場合には、108分の6.24）を乗じて算出した金額

２．帳簿の保存等　重要度◎

(1) 内　容（法38②）

この規定は、売上げに係る対価の返還等をした金額の明細を記録した帳簿を保存しない場合には、適用しない。

ただし、災害その他やむを得ない事情により保存できなかったことを証明した場合は、この限りでない。

(2) 保存期間（令58の２②）

帳簿を整理し、閉鎖日の属する課税期間の末日の翌日から２月を経過した日から７年間、納税地又は事務所等の所在地に保存しなければならない。

(3) 記載事項等（令58の２①）

次の事項（小売業等に係る場合には②～④の事項）を帳簿に整然と、かつ、明瞭に記録しなければならない。

①　売上げに係る対価の返還等を受けた者の氏名又は名称

②　売上げに係る対価の返還等を行った年月日

③　売上げに係る対価の返還等の内容（軽減対象課税資産の譲渡等である場合にはその旨を含む。）

④　税率の異なるごとに区分した売上げに係る対価の返還等をした金額

３．相続、合併、分割の場合（法38③④）

重要度○

(1) 相続により事業を承継した相続人が、被相続人により行われた課税資産の譲渡等につき売上げに係る対価の返還等をした場合には、その相続人が行った課税資産の譲渡等につき売上げに係る対価の返還等をしたものとみなして、この規定を適用する。

(2) (1)の規定は、合併により被合併法人から事業を承継した合併法人又は分割により分割法人から事業を承継した分割承継法人について準用する。

４．消費税額の計算の特例（令58）

重要度○

(1) 売上げに係る対価の返還等につき交付した**適格返還請求書**の写し又は提供した**適格返還請求書**に係る**電磁的記録**を保存している場合には、1にかかわらず、その**適格返還請求書**に記載し、又はその**電磁的記録**に記録した消費税額等に**100分の78**を乗じて算出した金額を、売上げに係る対価の返還等の金額に係る消費税額とすることができる。

(2) 事業者が、売上げに係る対価の返還等を行う場合において、その返還等の金額が課税資産の譲渡等（軽減対象課税資産の譲渡等を除く。）に係る部分と軽減対象課税資産の譲渡等に係る部分とに合理的に区分されていないときは、その返還等に係る税込価額に、一定の割合を乗じて計算した金額を、軽減対象課税資産の譲渡等に係る部分の金額として、この規定を適用する。

５．留意点（法５①）

重要度○

上記の「課税資産の譲渡等」からは、「**特定資産の譲渡等**」を除く。

3－16 特定課税仕入れに係る対価の返還等を受けた場合の消費税額の控除

１．特定課税仕入れに係る対価の返還等を受けた場合（法38の２①）　重要度◎

事業者（免税事業者を除く。）が、国内において行った特定課税仕入れにつき、値引き又は割戻しを受けたことにより、特定課税仕入れに係る対価の返還等（注１）を受けた場合には、その返還等を受けた日の属する課税期間の課税標準額に対する消費税額から特定課税仕入れに係る対価の返還等を受けた金額に係る消費税額（注２）の合計額を控除する。

（注１）　特定課税仕入れに係る対価の返還等とは、国内において行った特定課税仕入れに係る支払対価の額の全部若しくは一部の返還又はその支払対価の額に係る買掛金等の全部若しくは一部の減額をいう。

（注２）　返還を受けた金額又は減額を受けた債務の額に100分の7.8を乗じて算出した金額

２．帳簿の保存等　重要度◎

(1) 内　容（法38の２②）

この規定は、特定課税仕入れに係る対価の返還等を受けた金額の明細を記録した帳簿を保存しない場合には、適用しない。

ただし、災害その他やむを得ない事情により保存できなかったことを証明した場合は、この限りでない。

(2) 保存期間（令58の３②）

帳簿を整理し、閉鎖日の属する課税期間の末日の翌日から２月を経過した日から７年間、納税地又は事務所等の所在地に保存しなければならない。

(3) 記載事項等（令58の３①）

次の事項を帳簿に整然と、かつ、明瞭に記録しなければならない。

①　特定課税仕入れに係る対価の返還等をした者の氏名又は名称

②　特定課税仕入れに係る対価の返還等を受けた年月日

③　特定課税仕入れに係る対価の返還等の内容

④　特定課税仕入れに係る対価の返還等を受けた金額

⑤　特定課税仕入れに係る対価の返還等である旨

3．相続、合併、分割の場合（法38の2③④）

重要度○

(1) 相続により事業を承継した相続人が、被相続人により行われた特定課税仕入れにつき特定課税仕入れに係る対価の返還等を受けた場合には、その相続人が行った特定課税仕入れにつき特定課税仕入れに係る対価の返還等を受けたものとみなして、この規定を適用する。

(2) (1)の規定は、合併により被合併法人から事業を承継した合併法人又は分割により分割法人から事業を承継した分割承継法人について準用する。

3−17 貸倒れに係る消費税額の控除等

１．貸倒れに係る消費税額の控除（法39①）　重要度◎

事業者（免税事業者を除く。）が国内において**課税資産の譲渡等**（消費税が免除されるものを除く。）を行った場合において、その課税資産の譲渡等の相手方に対する売掛金その他の債権につき**貸倒れの事実**が生じたため、その課税資産の譲渡等の税込価額の全部又は一部を領収できなくなったときは、その領収できなくなった日の属する課税期間の**課税標準額に対する消費税額**から、その領収できなくなった課税資産の譲渡等の税込価額に係る消費税額（注）の合計額を控除する。

（注）税込価額に110分の7.8（軽減対象課税資産の譲渡等に係るものである場合には、108分の6.24）を乗じて算出した金額

２．書類の保存　重要度◎

(1)　内　容（法39②）

この規定は、債権につき貸倒れの事実が生じたことを証する**書類**を保存しない場合には、適用しない。

ただし、災害その他やむを得ない事情により保存できなかったことを証明した場合は、この限りでない。

(2)　保存期間（規19）

書類を整理し、その領収できなくなった日の属する課税期間の末日の翌日から**２月**を経過した日から**７年間**、納税地又は事務所等の所在地に保存しなければならない。

３．償却債権取立益に係る消費税額（法39③）　重要度◎

１の適用を受けた事業者が貸倒れとなった課税資産の譲渡等の税込価額の全部又は一部の領収をしたときは、その領収をした税込価額に係る消費税額を**課税資産の譲渡等に係る消費税額**とみなして、**課税標準額に対する消費税額**に加算する。

４．相続、合併、分割の場合　重要度○

(1)　相続の場合（法39④⑤）

①　被相続人により行われた課税資産の譲渡等に係る債権について相続があった日以後に**貸倒れの事実**が生じたときは、その事業を承継した相続人が課税資産の譲渡等を行ったものとみなして、この規定を適用する。

②　被相続人について１が適用された課税資産の譲渡等の税込価額の全部又は一部を領収した場合には、その事業を承継した相続人が１の適用を受けたものとみなして、３を適用する。

(2)　合併、分割の場合（法39⑥）

(1)の規定は、合併により被合併法人から事業を承継した合併法人又は分割により分割法人から事業を承継した分割承継法人について準用する。

５．貸倒れの事実（法39①、令59）　重要度○

(1)　更生計画認可の**決定**により債権の切捨てがあったこと。

(2)　再生計画認可の**決定**により債権の切捨てがあったこと。

(3)　特別清算に係る協定の認可の**決定**により債権の切捨てがあったこと。

(4)　債務者の財産の状況、支払能力等からみて債務の**全額**を弁済できないことが明らかであること。

(5)　上記に準ずる一定の事実

６．消費税額の計算の特例（令60）　重要度○

(1)　事業者が、課税資産の譲渡等の税込価額の全部又は一部を領収できなくなった場合において、その領収できなくなった課税資産の譲渡等の税込価額が課税資産の譲渡等（軽減対象課税資産の譲渡等を除く。）に係る部分と軽減対象課税資産の譲渡等に係る部分とに合理的に区分されていないときは、その領収できなくなった課税資産の譲渡等の税込価額に、一定の割合を乗じて計算した金額を、その軽減対象課税資産の譲渡等に係る部分の金額として、この規定を適用する。

(2)　事業者が、１の適用を受けた課税資産の譲渡等の税込価額の全部又は一部の領収をした場合において、その領収をした税込価額が課税資産の譲渡等（軽減対象課税資産の譲渡等を除く。）に係る部分と軽減対象課税資産の譲渡等に係る部分とに合理的に区分されていないときは、その領収をした税込価額に、一定の割合を乗じて計算した金額を、領収をした軽減対象課税資産の譲渡等に係る税込価額として、３を適用する。

７．留意点（法５①）　重要度○

上記の「課税資産の譲渡等」からは、「**特定資産の譲渡等**」を除く。

(MEMO)

テーマ

4

申告、納付、還付等

4－1　中間申告
4－2　確定申告
4－3　還付を受けるための申告
4－4　電子情報処理組織による申告の特例
4－5　引取申告
4－6　更正の請求

4−1 中間申告

1．前期納税実績による場合（法42①④⑥⑧〜⑫、措令46の２）　重要度◎

(1) 一月中間申告

① 内　容

事業者（免税事業者を除く。）は、一月中間申告対象期間の末日の翌日（その期間がその課税期間開始の日以後１月（個人事業者については２月）の期間である場合には、その課税期間開始の日から２月（個人事業者については３月）を経過した日）から２月以内に、一定の事項を記載した申告書を税務署長に提出しなければならない。

ただし、②イの金額が400万円以下の場合にはこの限りでない。

② 記載事項

イ　直前の課税期間の確定申告書に記載すべき確定消費税額で確定日までに確定したものをその直前の課税期間の月数で除して計算した金額

ロ　イの金額の計算の基礎その他の事項

③ 確定日

次の日をいう。

イ　その課税期間開始の日から２月（個人事業者については３月）を経過した日の前日までの間に終了した一月中間申告対象期間

その課税期間開始の日から２月（個人事業者については３月）を経過した日の前日

ロ　イ以外の一月中間申告対象期間

その一月中間申告対象期間の末日

④ 一月中間申告対象期間

その課税期間（注１）開始の日以後１月ごとに区分した各期間（注２）をいう。

（注１）個人事業者･･･事業を開始した日の属する課税期間を除く。

法　人･･････３月を超えない課税期間及び新たに設立された法人（合併により設立されたものを除く。）の設立の日の属する課税期間を除く。

（注２）最後に１月未満の期間を生じたときはその期間とし、最後の期間を除く。

(2) 三月中間申告

① 内　容

事業者（免税事業者を除く。）は、三月中間申告対象期間の末日の翌日から２月以内に、一定の事項を記載した申告書を税務署長に提出しなければならない。

ただし、②イの金額が100万円以下の場合又はその三月中間申告対象期間が一月中間申告書を提出すべき期間を含む期間である場合にはこの限りでない。

② 記載事項

イ　直前の課税期間の確定申告書に記載すべき確定消費税額でその期間の末日までに確定したものをその直前の課税期間の月数で除し、３を乗じて計算した金額

ロ　イの金額の計算の基礎その他の事項

③ 三月中間申告対象期間

その課税期間（注１）開始の日以後３月ごとに区分した各期間（注３）をいう。

（注３）最後に３月未満の期間を生じたときはその期間とし、最後の期間を除く。

(3) 六月中間申告

① 内　容

事業者（免税事業者を除く。）は、六月中間申告対象期間の末日の翌日から２月以内に、一定の事項を記載した申告書を税務署長に提出しなければならない。

ただし、②イの金額が24万円以下の場合又はその六月中間申告対象期間が一月中間申告書若しくは三月中間申告書を提出すべき期間を含む期間である場合にはこの限りでない。

② 記載事項

イ　直前の課税期間の確定申告書に記載すべき確定消費税額でその期間の末日までに確定したものをその直前の課税期間の月数で除し、６を乗じて計算した金額

ロ　イの金額の計算の基礎その他の事項

③　六月中間申告対象期間

その課税期間（注４）開始の日以後６月の期間をいう。

（注４）個人事業者･･･事業を開始した日の属する課税期間を除く。

法　　人･･････６月を超えない課税期間及び新たに設立された法人（合併により設立されたものを除く。）の設立の日の属する課税期間を除く。

④　任意の中間申告

イ　任意の中間申告書を提出する旨の届出書

②イの金額が24万円以下の事業者が、**任意の中間申告書を提出する旨の届出書**を税務署長に提出した場合には、提出日以後に六月中間申告対象期間の末日が最初に到来するその期間以後については、六月中間申告書を税務署長に提出しなければならない。

ロ　任意の中間申告書を提出することの取りやめ届出書

(ｲ)　イの届出書を提出した事業者は、その適用を受けることをやめようとするとき又は事業を廃止したときは、**取りやめ届出書**を税務署長に提出しなければならない。

(ﾛ)　**取りやめ届出書**の提出があったときは、提出日以後に六月中間申告対象期間の末日が最初に到来するその期間以後については、イの届出は、その効力を失う。

(ﾊ)　イの届出書の提出をした事業者が、提出期限までに六月中間申告書を提出しなかった場合には、**取りやめ届出書**をその六月中間申告対象期間の末日に税務署長に提出したものとみなす。

2．仮決算による場合（法43①～④）　重要度◎

(1) 内　容

中間申告書を提出すべき事業者が、中間申告対象期間を一課税期間とみなして、その期間に係る課税標準額等を計算した場合には、その提出する中間申告書に、1の記載事項に代えて、これらを記載することができる。

(2) 積上げ計算の特例

仮決算による中間申告書を提出する事業者が、その中間申告対象期間中に国内において行った課税資産の譲渡等につき交付した適格請求書又は適格簡易請求書の写しを保存している場合（電磁的記録を保存している場合を含む。）には、税率の異なるごとに区分した課税標準額に対する消費税額については、(1)にかかわらず、適格請求書等に記載した消費税額等の合計額に100分の78を乗じて算出した金額とすることができる。

(3) 添付書類

その期間中の資産の譲渡等の対価の額及び課税仕入れ等の税額の明細その他の事項を記載した書類を添付しなければならない。

3．中間申告書の提出がない場合の特例（法44）　重要度◎

中間申告書を提出すべき事業者がその中間申告書をその提出期限までに提出しなかった場合（注5）には、その提出期限において、税務署長に1による中間申告書の提出があったものとみなす。

（注5）任意の中間申告書を提出することの取りやめ届出書を提出したものとみなす場合を除く。

4．納　付（法48）　重要度◎

中間申告書を提出した者は、その申告書に記載した金額があるときは、その提出期限までに、その消費税額を国に納付しなければならない。

5．申告義務等の承継（法59）　重要度○

(1) 相続があった場合には相続人は被相続人の中間申告の義務を承継する。

(2) 合併があった場合には合併法人は被合併法人の中間申告の義務を承継する。

6．課税期間特例の適用を受ける場合（法42①④⑥⑧）　重要度○

この規定は、課税期間特例選択・変更届出書を提出している事業者には、適用されない。

テーマ 4

7．災害等があった場合（法42の２）

重要度△

国税通則法の災害等による期限の延長の規定により、中間申告書の提出期限とその課税期間の確定申告書の提出期限とが同一の日となる場合は、その中間申告書を提出することを要しない。

8．留意点（法５①、規21②）

重要度○

上記の「資産の譲渡等」及び「課税資産の譲渡等」からは、「特定資産の譲渡等」を除く。

（MEMO）

確定申告

1．確定申告

重要度◎

(1) **内　容**（法45①、措法86の4①）

事業者（免税事業者を除く。）は、課税期間ごとに、その課税期間の末日の翌日から2月以内に、一定の事項を記載した確定申告書を税務署長に提出しなければならない。

ただし、国内における**課税資産の譲渡等**（消費税が免除されるものを除く。）及び**特定課税仕入れ**がなく、かつ、**差引税額**がない課税期間については、この限りでない。

なお、個人事業者のその年の12月31日の属する課税期間に係る確定申告書の提出期限は、その年の翌年3月31日とする。

(2) **提出期限の特例**

①　個人事業者が死亡した場合（法45②③）

相続人は、次のイ又はロの場合には、その相続の開始があったことを知った日の翌日から4月以内に、税務署長に確定申告書を提出しなければならない。

イ　確定申告書を提出すべき個人事業者がその課税期間の末日の翌日からその提出期限までの間に提出しないで死亡した場合

ロ　個人事業者が課税期間の中途に死亡した場合において、その課税期間分の消費税について確定申告書を提出しなければならない場合

②　法人の残余財産が確定した場合（法45④）

清算中の法人の残余財産が確定した場合には、その確定日の属する課税期間に係る確定申告書の提出期限は、その課税期間の末日の翌日から1月以内（その翌日から1月以内に残余財産の最後の分配等が行われる場合には、その行われる日の前日まで）とする。

(3) **積上げ計算の特例**（法45⑤、令62①②）

確定申告書を提出する事業者が、その課税期間中に国内において行った**課税資産の譲渡等**につき交付した**適格請求書**又は**適格簡易請求書**の写しを保存している場合（電磁的記録を保存している場合を含む。）には、税率の異なるごとに区分した**課税標準額に対する消費税額**については、原則にかかわらず、適格請求書等に記載した消費税額等の合計額に100分の78を乗じて算出した金額とすることができる。

ただし、資産の譲渡等の時期の特例その他一定の**課税資産の譲渡等**については、この限りでない。

(4)　添付書類（法45⑥）

その課税期間中の**資産の譲渡等の対価の額及び課税仕入れ等の税額**の明細その他の事項を記載した書類を添付しなければならない。

2．納　付（法49）　重要度◎

確定申告書を提出した者は、その申告書に記載した差引税額（中間申告を行っている場合には、納付税額）があるときは、その**提出期限**までに、その消費税額を国に納付しなければならない。

3．還　付（法52①、法53①）　重要度○

確定申告書の提出があった場合において、**控除不足還付税額又は中間納付還付税額**の記載があるときは、税務署長は、その者に対し、その不足額を還付する。

4．申告義務等の承継（法59）　重要度○

(1)　相続があった場合には相続人は被相続人の**確定申告**の義務を承継する。

(2)　合併があった場合には合併法人は被合併法人の**確定申告**の義務を承継する。

5．記載事項（法45①）　重要度△

(1)　課税標準額

(2)　税率の異なるごとに区分した課税標準額に対する消費税額

(3)　控除税額

①　仕入れに係る消費税額

②　売上げに係る対価の返還等の金額に係る消費税額

③　特定課税仕入れに係る対価の返還等を受けた金額に係る消費税額

④　貸倒れに係る消費税額

(4)　差引税額

(5)　控除不足還付税額

(6)　納付税額

(7)　中間納付還付税額

(8)　上記金額の計算の基礎その他の事項

6．留意点（法５①、規21②）　重要度○

上記の「資産の譲渡等」及び「課税資産の譲渡等」からは、「**特定資産の譲渡等**」を除く。

7．法人の確定申告書の提出期限の特例（法45の２①～⑤）

重要度○

(1) 内　容

確定申告書（以下「消費税申告書」という。）を提出すべき法人（注）が、申告期限延長届出書を納税地の所轄税務署長に提出した場合には、その提出日の属する事業年度以後の各事業年度（一定のものに限る。）終了の日の属する課税期間に係る消費税申告書の提出期限については、原則にかかわらず、その課税期間の末日の翌日から３月以内とする。

（注）法人税法による確定申告書の提出期限の延長の特例の適用を受ける法人に限る。

(2) 不適用

①　届　出

申告期限延長届出書を提出した法人は、その適用を受けることをやめようとするとき、又は事業を廃止したときは、申告期限延長不適用届出書を納税地の所轄税務署長に提出しなければならない。

②　効　力

申告期限延長不適用届出書の提出があったときは、提出日の属する事業年度終了の日の属する課税期間以後の事業年度終了の日の属する課税期間については、延長の届出は、その効力を失う。

(3) 利子税の納付

(1)の適用を受ける法人は、その課税期間終了の日の翌日以後２月を経過した日から延長された提出期限までの期間の日数に応じ、利子税を併せて納付しなければならない。

(4) 災害等があった場合

(1)の適用を受けている法人について、その課税期間の末日の翌日から２月を経過した日前に災害その他やむを得ない理由が生じた場合には、その課税期間に限り、(1)の適用がないものとみなして、国税通則法の期限の延長の規定を適用することができる。

参考　確定申告書の記載事項（法45①）

(1)　その課税期間中に国内において行った課税資産の譲渡等（消費税が免除されるものを除く。）に係る税率の異なるごとに区分した課税標準である金額の合計額及びその課税期間中に国内において行った特定課税仕入れに係る課税標準である金額の合計額並びにそれらの合計額（(2)において『課税標準額』という。）

(2)　税率の異なるごとに区分した課税標準額に対する消費税額

・・・以下　省略・・・

4−3　還付を受けるための申告

1．還付を受けるための申告　重要度◎

(1) 内　容（法46①）

事業者（免税事業者を除く。）は、その課税期間分の消費税につき控除不足還付税額又は中間納付還付税額がある場合には、確定申告書の提出義務がない場合においても、還付を受けるため、一定の事項を記載した還付を受けるための申告書を税務署長に提出することができる。

(2) 課税期間の中途に死亡した場合（法46②）

個人事業者が課税期間の中途に死亡した場合において、その課税期間分の消費税について還付を受けるための申告書を提出することができるときは、その相続人は、税務署長にその申告書を提出することができる。

(3) 添付書類（法46③）

その課税期間中の資産の譲渡等の対価の額及び課税仕入れ等の税額の明細その他の事項を記載した書類を添付しなければならない。

2．還　付（法52①、法53①）　重要度○

還付を受けるための申告書の提出があった場合において、控除不足還付税額又は中間納付還付税額の記載があるときは、税務署長は、その者に対し、その不足額を還付する。

３．記載事項（法45①）

重要度△

(1) 課税標準額
(2) 税率の異なるごとに区分した課税標準額に対する消費税額
(3) 控除税額
　① 仕入れに係る消費税額
　② 売上げに係る対価の返還等の金額に係る消費税額
　③ 特定課税仕入れに係る対価の返還等を受けた金額に係る消費税額
　④ 貸倒れに係る消費税額
(4) 差引税額
(5) 控除不足還付税額
(6) 納付税額
(7) 中間納付還付税額
(8) 上記金額の計算の基礎その他の事項

４．留意点（規21②）

重要度○

上記の「資産の譲渡等」からは、「**特定資産の譲渡等**」を除く。

4−4 電子情報処理組織による申告の特例

1．電子情報処理組織による申告の特例（法46の2①②④）　重要度◎

(1) 内　容

特定法人である事業者（免税事業者を除く。）は、納税申告書等（注）により行うこととされ、又はこれに添付書類を添付して行うこととされている課税資産の譲渡等（特定資産の譲渡等を除く。）及び特定課税仕入れに対する消費税の申告については、原則にかかわらず、申告書記載事項又は添付書類記載事項を、電子情報処理組織を使用する方法で提供して行わなければならない。

（注）中間申告書、確定申告書等又はこれらの申告書に係る修正申告書をいう。

(2) 特定法人

次の事業者をいう。

① その事業年度開始の時における資本金の額又は出資の金額が1億円を超える法人（外国法人を除く。）

② 相互会社

③ 投資法人（①を除く。）

④ 特定目的会社（①を除く。）

⑤ 国・地方公共団体

(3) 申告の到達時期

(1)により行われた申告は、国税庁の使用に係る電子計算機に備えられたファイルへの記録がされた時に税務署長に到達したものとみなす。

２．困難である場合の特例（法46の３①②⑤⑧）

重要度○

(1) 内　容

１の事業者が、電気通信回線の故障、災害その他の理由により電子情報処理組織を使用することが困難であると認められる場合で、かつ、１の規定を適用しないで納税申告書等（注）を提出することができると認められる場合において、納税地の所轄税務署長の承認を受けたときは、その税務署長が指定する期間内に行う申告については、１の規定は適用しない。

(2) 手　続

① (1)の承認を受けようとする事業者は、一定の申請書に書類を添付して、その指定を受けようとする期間の開始の日の15日前までに、これを納税地の所轄税務署長に提出しなければならない。

② ①の申請書に記載した指定を受けようとする期間の開始の日までに承認又は却下の処分がなかったときは、その日に承認があったものとみなす。

③ (1)の適用を受けている事業者は、その適用を受けることをやめようとするときは、取りやめの届出書を納税地の所轄税務署長に提出しなければならない。

この場合において、その届出書の提出日の翌日以後の期間については、(1)の承認はその効力を失う。

4―5 引取申告

１．申　告　　重要度◎

(1) 申告納税方式

① 一般申告（法47①）

関税法に規定する申告納税方式が適用される課税貨物を保税地域から引き取ろうとする者は、消費税が免除される場合を除き、次の事項を記載した申告書を税関長に提出しなければならない。

イ　課税貨物の品名、品名ごとの数量、課税標準額及び税率

ロ　課税標準額に対する消費税額及びその合計額

ハ　その他の事項

② 特例申告（法47③）

関税法に規定する特例申告を行う場合の申告書の提出期限は、その課税貨物の引取りの日の属する月の翌月末日とする。

(2) 賦課課税方式（法47②）

関税法に規定する賦課課税方式が適用される課税貨物を保税地域から引き取ろうとする者は、消費税が免除される場合を除き、次の事項を記載した申告書を税関長に提出しなければならない。

① 課税貨物の品名、品名ごとの数量、課税標準額及び税率

② その他の事項

２．納付等　　重要度◎

(1) 申告納税方式（法50①）

１(1)の申告書を提出した者は、その課税貨物を保税地域から引き取る時（特例申告の場合には、その申告書の提出期限）までに、その申告書に記載した消費税額を国に納付しなければならない。

(2) 賦課課税方式（法50②）

１(2)の課税貨物に係る消費税は、税関長がその引取りの際徴収する。

３．納期限の延長　重要度○

(1) 都度延長（法51①）

申告納税方式が適用される課税貨物を保税地域から引き取ろうとする者（注）が、１(1)①の申告書を提出した場合において、その納期限に関し、延長を受けたい旨の申請書を税関長に提出し、かつ、担保を提供したときは、税関長は、担保の額を超えない範囲内で、納期限を３月以内に限り延長することができる。

（注）特例申告書を提出する者を除く。

(2) 月まとめ延長（法51②）

申告納税方式が適用される課税貨物を保税地域から引き取ろうとする者（注）が、特定月の納期限に関し、特定月の前月末日までに延長を受けたい旨の申請書を税関長に提出し、かつ、担保を提供したときは、税関長は、担保の額を超えない範囲内で、納期限を特定月の末日の翌日から３月以内に限り延長することができる。

(3) 特例申告（法51③④）

①　特例輸入者が、特例申告書を提出期限までに提出した場合において、その納期限に関し、その提出期限までに延長を受けたい旨の申請書を税関長に提出したときは、税関長は、納期限を２月以内に限り延長することができる。

この場合において、税関長は、消費税の保全のために必要があると認めるときは、その特例輸入者に対し、担保の提供を命ずることができる。

②　特例委託輸入者が、特例申告書を提出期限までに提出した場合において、その納期限に関し、その提出期限までに延長を受けたい旨の申請書を税関長に提出し、かつ、担保を提供したときは、税関長は、担保の額を超えない範囲内で、納期限を２月以内に限り延長することができる。

４．申告義務等の承継（法59）　重要度○

(1) 相続があった場合には相続人は被相続人の引取申告（特例申告に限る。）の義務を承継する。

(2) 合併があった場合には合併法人は被合併法人の引取申告（特例申告に限る。）の義務を承継する。

4−6 更正の請求

1．国税通則法（国通法23①②）　重要度◎

(1) 原　則

納税申告書を提出した者は、次のいずれかに該当する場合には、その申告書に係る法定申告期限から５年以内に限り、税務署長に対し、更正の請求をすることができる。

① その申告書に記載した税額等の計算が国税に関する法律の規定に従っていなかったこと又はその計算に誤りがあったことにより、その申告に係る納付すべき税額が過大であるとき

② ①の理由により、その申告に係る還付金の額が過少であるとき、又は還付金の額の記載がなかったとき

(2) 後発的事由に基づく特則

納税申告書を提出した者又は決定を受けた者は、次のいずれかに該当する場合には、その事由等が生じた日の翌日から２月以内（納税申告書を提出した者については(1)の請求期限後に到来する場合に限る。）に限り、税務署長に対し、更正の請求をすることができる。

① その申告等に係る税額等の計算の基礎となった事実に関する訴えについての判決により、その事実がその基礎としたところと異なることが確定したとき

② その申告等をした者に帰属するものとされていた所得等が他の者に帰属するものとする当該他の者に係る国税の更正又は決定があったとき

③ その他法定申告期限後に生じた①又は②に類するやむを得ない理由があるとき

2．消費税法の特例

重要度○

次の場合には、その修正申告書を提出した日等の翌日から２月以内に限り、税務署長に対し、更正の請求をすることができる。

(1) **課税資産の譲渡等及び特定課税仕入れに係る特例**（法56①）

確定申告書等に記載すべき金額につき、修正申告書を提出し又は更正若しくは決定を受けた者が、その修正申告書の提出等に伴い、これらに係る課税期間後の各課税期間で決定を受けた課税期間に係る納付すべき税額が過大となる場合又は還付金の額が過少となる場合

(2) **課税貨物に係る特例**（法56②）

引取申告書に記載すべき金額につき、修正申告書を提出し又は更正若しくは決定等を受けた者が、その修正申告書の提出等に伴い、これらに係る課税期間で決定を受けた課税期間に係る納付すべき税額が過大となる場合又は還付金の額が過少となる場合

3．手　続（国通法23③）

重要度△

更正の請求をしようとする者は、一定の事項を記載した更正請求書を税務署長に提出しなければならない。

4．輸入品に係る更正の請求（国通法23⑥）

重要度△

引取申告に係る消費税等についての更正の請求は、税関長に対し、するものとする。

(MEMO)

テーマ

5

雑則、その他

5−1 小規模事業者の納税義務の免除が適用されなくなった場合等の届出

１．納税義務の免除が適用されなくなった場合等の届出（法57）　重要度○

事業者（(5)についてはその相続人、(6)についてはその合併法人）は、次の場合には、各届出書を速やかに納税地の所轄税務署長に提出しなければならない。

(1) 消費税課税事業者届出書

基準期間における課税売上高が1,000万円を超えることとなった場合（前年等の課税売上高による特例、相続、合併、分割の特例により課税事業者となる場合を含む。）

(2) 消費税の納税義務者でなくなった旨の届出書

基準期間における課税売上高が1,000万円以下となった場合（注）

（注）課税事業者選択届出書を提出している場合等を除く。

(3) 高額特定資産の取得等に係る課税事業者である旨の届出書

高額特定資産を取得した場合等の納税義務の免除の特例の適用を受ける課税期間の基準期間における課税売上高が1,000万円以下となった場合（注）

（注）課税事業者選択届出書を提出している場合等を除く。

(4) 事業廃止届出書

事業者（免税事業者を除く。）が事業を廃止した場合（既に他の規定により事業を廃止した旨を記載した届出書を提出している場合を除く。）

(5) 個人事業者の死亡届出書

個人事業者（免税事業者を除く。）が死亡した場合

(6) 合併による法人の消滅届出書

法人（免税事業者を除く。）が合併により消滅した場合

(7) 消費税の新設法人に該当する旨の届出書

事業者が新設法人に該当することとなった場合

(8) 消費税の特定新規設立法人に該当する旨の届出書

事業者が特定新規設立法人に該当することとなった場合

（MEMO）

5−2 適格請求書発行事業者の登録等

1．適格請求書発行事業者の登録等　重要度◎

(1) 内　容（法57の２①）

国内において課税資産の譲渡等（特定資産の譲渡等を除く。）を行い、又は行おうとする事業者であって、適格請求書の交付をしようとする事業者（免税事業者を除く。）は、税務署長の登録を受けることができる。

(2) 手　続（法57の２②、令70の２、70の４）

① (1)の登録を受けようとする事業者は、適格請求書発行事業者の登録申請書を納税地の所轄税務署長に提出しなければならない。

この場合において、免税事業者が、課税事業者となる課税期間の初日から登録を受けようとするときは、課税事業者となる課税期間の初日から起算して15日前の日までにその申請書を税務署長に提出しなければならない。

② ①の日までに登録申請書を提出した事業者について、その課税事業者となる課税期間の初日後に登録がされたときは、同日に登録を受けたものとみなす。

③ 登録を受けようとする事業者が、事業を開始した日の属する課税期間その他の一定の課税期間の初日から登録を受けようとする旨を記載した登録申請書をその課税期間の末日までに提出した場合において、その登録がされたときは、その課税期間の初日から登録を受けたものとみなす。

(3) 適格請求書発行事業者登録簿の登載事項変更届出書（法57の２⑧）

適格請求書発行事業者登録簿の登載事項に変更があったときは、その旨を記載した届出書を、速やかに、納税地の所轄税務署長に提出しなければならない。

(4) 登録の失効（法57の２⑩、令70の５③）

次のいずれかに該当することとなった場合には、それぞれの日に、適格請求書発行事業者の登録は、その効力を失う。

① 適格請求書発行事業者の登録の取消しを求める旨の届出書を納税地の所轄税務署長に提出した場合

提出日の属する課税期間の末日の翌日（その提出が、提出日の属する課税期間の翌課税期間の初日から起算して15日前の日の翌日からその課税期間の末日までの間にされた場合には、その課税期間の翌課税期間の末日の翌日）

②　事業を廃止した場合（事業廃止届出書を提出した場合に限る。）
事業を廃止した日の翌日

③　合併により消滅した場合（合併による法人の消滅届出書を提出した場合に限る。）
合併により消滅した日

２．適格請求書発行事業者が死亡した場合の手続等　重要度◎

(1)　内　容（法57の３①）

適格請求書発行事業者が死亡した場合には、個人事業者が死亡した場合の届出の規定にかかわらず、その相続人は、適格請求書発行事業者の死亡届出書を、速やかに、その適格請求書発行事業者の納税地の所轄税務署長に提出しなければならない。

(2)　登録の失効（法57の３②）

適格請求書発行事業者が死亡した場合におけるその登録は、(3)の適用を受ける場合を除き、(1)の届出書の提出日の翌日又は死亡日の翌日から４月を経過した日のいずれか早い日に、その効力を失う。

(3)　みなし登録（法57の３③、令70の６）

①　相続により適格請求書発行事業者の事業を承継した相続人（適格請求書発行事業者を除く。）のみなし登録期間(注)については、その相続人を適格請求書発行事業者とみなして、消費税法の規定を適用する。

この場合において、みなし登録期間中は、その適格請求書発行事業者に係る登録番号をその相続人の登録番号とみなす。

（注）その相続のあった日の翌日から、その相続人が適格請求書発行事業者の登録を受けた日の前日又はその相続に係る適格請求書発行事業者の死亡日の翌日から４月を経過する日のいずれか早い日までの期間をいう。

②　①の適用を受けようとする相続人は、(1)の届出書に、相続により適格請求書発行事業者の事業を承継した旨を記載しなければならない。

③　①の適用を受けている相続人が、みなし登録期間中に適格請求書発行事業者の登録申請書をその納税地の所轄税務署長に提出した場合において、みなし登録期間の末日までに登録又は登録の拒否の処分に係る通知がないときは、同日の翌日からその通知が到達するまでの期間をみなし登録期間とみなして、①を適用する。

(4)　みなし登録の失効（法57の３④）

(3)の適用を受けた相続人の被相続人に係る適格請求書発行事業者の登録は、みなし登録期間の末日の翌日以後は、その効力を失う。

３．一定の課税期間（規26の４）

重要度○

(1) 事業者（みなし登録の適用を受ける事業者を除く。）が国内において課税資産の譲渡等に係る事業を開始した日の属する課税期間

(2) 吸収合併により適格請求書発行事業者の登録を受けていた被合併法人の事業を承継した場合におけるその吸収合併があった日の属する課税期間

(3) 吸収分割により適格請求書発行事業者の登録を受けていた分割法人の事業を承継した場合におけるその吸収分割があった日の属する課税期間

参考　適格請求書発行事業者の登録等に関する経過措置

１　納税義務

(1)　登録課税期間（法附則44④）

適格請求書発行事業者の登録申請書を提出した事業者（登録開始日が令和５年10月１日から令和11年９月30日までの日の属する課税期間中である事業者に限る。）のその登録開始日の属する課税期間（注）のうち、その登録開始日からその課税期間の末日までの間における課税資産の譲渡等及び特定課税仕入れについては、納税義務は免除されない。

（注）基準期間における課税売上高が1,000万円を超える課税期間、課税事業者の選択、前年等の課税売上高による特例、相続、合併、分割の特例、新設法人又は特定新規設立法人の特例、高額特定資産を取得した場合等の特例により課税事業者となる課税期間を除く。

(2)　翌課税期間以後（法附則44⑤）

(1)の適用を受ける事業者の登録開始日の属する課税期間の翌課税期間から登録開始日以後２年を経過する日の属する課税期間までの各課税期間（注）における課税資産の譲渡等及び特定課税仕入れについては、納税義務は免除されない。

ただし、登録開始日の属する課税期間が令和５年10月１日を含む課税期間である場合は、この限りでない。

２　登録申請書の提出等（令附則15②③）

令和５年10月１日後に適格請求書発行事業者の登録を受けようとする事業者（１の適用を受けることとなる事業者に限る。）が、適格請求書発行事業者の登録申請書を提出する場合には、登録希望日（その申請書の提出日から15日を経過する日以後の日に限る。）を記載するものとする。

この場合において、登録希望日後に登録がされたときは、登録希望日に登録を受けたものとみなす。

３　簡易課税（令附則18）

１(1)の適用を受ける事業者が、簡易課税制度選択届出書を登録開始日を含む課税期間中に納税地の所轄税務署長に提出した場合において、提出日の属する課税期間について簡易課税の適用を受ける旨を記載したときは、その課税期間の初日の前日に税務署長に提出したものとみなす。

４　留意点（法附則34①）

上記の「課税資産の譲渡等」からは、「特定資産の譲渡等」を除く。

5−3 適格請求書発行事業者の義務等

１．適格請求書発行事業者の義務　重要度◎

(1) 適格請求書の交付義務（法57の４①）

適格請求書発行事業者は、国内において課税資産の譲渡等（消費税が免除されるものを除く。）を行った場合（みなし譲渡、工事の請負に係る資産の譲渡等の時期の特例その他一定の場合を除く。）において、その課税資産の譲渡等を受ける他の事業者（免税事業者を除く。）から適格請求書（次の事項を記載した請求書、納品書その他これらに類する書類をいう。）の交付を求められたときは、その課税資産の譲渡等に係る適格請求書を交付しなければならない。

ただし、その事業の性質上、適格請求書を交付することが困難な課税資産の譲渡等として一定のものを行う場合は、この限りでない。

① 適格請求書発行事業者の氏名又は名称及び登録番号
② 課税資産の譲渡等を行った年月日（課税期間の範囲内で一定の期間内に行ったものにつきまとめてその書類を作成する場合には、その一定の期間）
③ 課税資産の譲渡等の内容（注１）
④ 課税資産の譲渡等に係る税抜価額又は税込価額を税率の異なるごとに区分して合計した金額及び適用税率
⑤ 消費税額等（注２）
⑥ 書類の交付を受ける事業者の氏名又は名称

（注１）軽減対象課税資産の譲渡等である場合にはその旨を含む。
（注２）課税資産の譲渡等につき課されるべき消費税額及び地方消費税額に相当する額の合計額として税率の異なるごとに区分して合計した金額ごとに一定の方法により計算した金額

(2) 適格簡易請求書（法57の４②）

(1)の場合において、その事業者が国内において行った課税資産の譲渡等が小売業その他の一定の事業に係るものであるときは、適格請求書に代えて、適格簡易請求書（次の事項を記載した請求書、納品書その他これらに類する書類をいう。）を交付することができる。

① 適格請求書発行事業者の氏名又は名称及び登録番号
② 課税資産の譲渡等を行った年月日
③ 課税資産の譲渡等の内容（注１）

④　課税資産の譲渡等に係る税抜価額又は税込価額を税率の異なるごとに区分して合計した金額

⑤　消費税額等（注２）又は適用税率

(3)　適格返還請求書（法57の４③、令70の９③）

売上げに係る対価の返還等を行う適格請求書発行事業者は、その返還等を受ける他の事業者に対して、**適格返還請求書**（次の事項を記載した請求書、納品書その他これらに類する書類をいう。）を交付しなければならない。

ただし、その事業の性質上、適格返還請求書を交付することが困難な課税資産の譲渡等を行う場合、その売上げに係る対価の返還等に係る税込価額が１万円未満である場合は、この限りでない。

①　適格請求書発行事業者の氏名又は名称及び登録番号

②　売上げに係る対価の返還等を行う年月日及びその返還等に係る課税資産の譲渡等を行った年月日

③　売上げに係る対価の返還等の内容（注１）

④　売上げに係る対価の返還等に係る税抜価額又は税込価額を税率の異なるごとに区分して合計した金額

⑤　消費税額等（注２）又は適用税率

(4)　誤りがあった場合（法57の４④）

適格請求書等の記載事項に誤りがあった場合には、これらの書類を交付した他の事業者に対して、修正した適格請求書等を交付しなければならない。

(5)　電磁的記録（法57の４⑤）

適格請求書等の交付に代えて、これらの書類に係る電磁的記録を提供することができる。

この場合において、その提供した事項に誤りがあった場合には、(4)を準用する。

(6)　保存の義務（法57の４⑥）

適格請求書等を交付等した事業者は、これらの書類の写し又はその電磁的記録を保存しなければならない。

(7)　適格請求書等の写し等の保存（令70の13）

①　事業者は、その交付等したこれらの書類の写し又はその電磁的記録を整理し、その交付日又は提供日の属する課税期間の末日の翌日から２月を経過した日から７年間、納税地又は事務所等の所在地に保存しなければならない。

②　その課税期間の末日の翌日から２月を経過した日から５年を経過した日以後の期間における保存は、財務大臣の定める方法によることができる。

2．適格請求書に記載すべき消費税額等の計算（令70の10）

重要度◎

(1)又は(2)のいずれかの方法とする。

この場合において、算出した金額に円未満の端数が生じたときは、その端数を処理するものとする。

(1) 課税資産の譲渡等に係る税抜価額を税率の異なるごとに区分して合計した金額に100分の10（軽減対象課税資産の譲渡等に係るものである場合には、100分の8）を乗じて算出する方法

(2) 課税資産の譲渡等に係る税込価額を税率の異なるごとに区分して合計した金額に110分の10（軽減対象課税資産の譲渡等に係るものである場合には、108分の8）を乗じて算出する方法

3．適格請求書等の交付義務免除（令70の9②③、規26の6）

重要度○

(1) 適格請求書

次の課税資産の譲渡等は、適格請求書の交付義務が免除される。

① 税込価額が3万円未満の公共交通機関による旅客の運送

② 出荷者等が卸売市場において行う生鮮食料品等の譲渡

③ 生産者が農業協同組合等に委託して行う農林水産物の譲渡

④ 税込価額が3万円未満の自動販売機又は自動サービス機からの商品の譲渡等

⑤ 郵便切手類のみを対価とする郵便・貨物サービス（郵便ポストに差し出されたものに限る。）

(2) 適格返還請求書

次の場合は、適格返還請求書の交付義務が免除される。

① 上記(1)の課税資産の譲渡等を行う場合

② 売上げに係る対価の返還等に係る税込価額が1万円未満である場合

4．適格簡易請求書の交付が認められる事業の範囲（令70の11）

重要度○

次の事業とする。

(1) 小売業、飲食店業、写真業及び旅行業

(2) 道路運送法に規定する一般乗用旅客自動車運送事業（一定のものを除く。）

(3) 駐車場業（不特定多数の者に駐車のための場所を提供するものに限る。）

(4) (1)から(3)に準ずる事業で不特定多数の者に資産の譲渡等を行うもの

５．媒介者交付特例

重要度○

(1) 内　容 (令70の12①)

事業者（適格請求書発行事業者に限る。）が、媒介者等（適格請求書発行事業者に限る。）を介して国内において課税資産の譲渡等を行う場合において、媒介者等が課税資産の譲渡等の時までにその事業者から登録を受けている旨の通知を受けているときは、媒介者等は、課税資産の譲渡等を受ける他の者に対し、その事業者の氏名又は名称及び登録番号に代えて、媒介者等の氏名又は名称及び登録番号を記載した適格請求書等又は電磁的記録をその事業者に代わって交付等することができる。

この場合において、媒介者等は、その適格請求書等の写し等を保存しなければならない。

(2) 誤りがあった場合 (令70の12②)

適格請求書等の記載事項に誤りがあった場合には、修正した適格請求書等を交付等しなければならない。

(3) 写し等の交付等の義務 (令70の12③)

媒介者等が(1)の事業者に代わって適格請求書等を交付等した場合には、その媒介者等は、速やかにその適格請求書等の写し等をその事業者に対し交付等しなければならない。

(4) 適格請求書発行事業者でなくなった場合 (令70の12④)

(1)の事業者が適格請求書発行事業者でなくなった場合には、媒介者等に対し、速やかにその旨を通知しなければならない。

６．適格請求書類似書類等の交付等の禁止 (法57の５)

重要度○

適格請求書発行事業者以外の者は(1)を、適格請求書発行事業者は(2)を、それぞれ他の者に対して交付等してはならない。

(1) 適格請求書又は適格簡易請求書であると誤認されるおそれのある表示をした書類及び電磁的記録

(2) 偽りの記載をした適格請求書又は適格簡易請求書及び電磁的記録

７．留意点 (法５①)

重要度○

上記の「課税資産の譲渡等」からは、「特定資産の譲渡等」を除く。

5−4　国、地方公共団体等に対する特例（仕入れに係る消費税額に関する事項を除く）

１．事業単位の特例（法60①、令72①）　重要度○

国・地方公共団体の一般会計又は特別会計が行う事業については、一般会計又は特別会計ごとに一の法人が行う事業とみなして、消費税法の規定を適用する。

ただし、特別会計に係る事業のうち専ら一般会計に対して資産の譲渡等を行う事業については、一般会計に係る事業とみなす。

２．資産の譲渡等の時期等の特例（法60②③）　重要度○

国・地方公共団体又は別表第三に掲げる法人のうち一定のものの資産の譲渡等、課税仕入れ及び課税貨物の引取りについては、資産の譲渡等は対価を収納すべき会計年度の末日に、課税仕入れ及び課税貨物の引取りは費用の支払をすべき会計年度の末日に行われたものとすることができる。

３．申告期限の特例（法60⑧、令76）　重要度○

国・地方公共団体の特別会計又は別表第三に掲げる法人のうち一定のものの確定申告書の提出期限は、次の期間内とする。

また、中間申告書の提出期限について一定の定めがある。

(1) **国**
　５月以内
(2) **地方公共団体**（下記(3)を除く。）
　６月以内
(3) **一定の地方公共団体の経営する企業**
　３月以内
(4) **別表第三に掲げる法人のうち一定のもの**
　６月以内で税務署長が承認する期間内

（MEMO）

5−5　仕入れに係る消費税額に関する国、地方公共団体等に対する特例

１．仕入れに係る消費税額の特例（法60④、令75③）

重要度◎

国・地方公共団体の特別会計、別表第三に掲げる法人又は人格のない社団等（免税事業者を除く。）が課税仕入れを行い又は課税貨物を保税地域から引き取る場合において、その課税仕入れの日又は課税貨物の引取りの日（注１）の属する課税期間に特定収入があり、かつ、特定収入割合が５％を超えるときは、簡易課税又は２割特例の適用を受ける場合を除き、その課税期間の課税標準額に対する消費税額から控除することができる課税仕入れ等の税額の合計額は、原則の規定により計算した課税仕入れ等の税額の合計額から調整税額を控除した残額とする。

この場合において、その金額は、その課税期間の仕入れに係る消費税額とみなす。

（注１）特例申告の場合には、その申告書の提出日

２．調整税額（令75④）

重要度○

(1)　全額が控除される場合

①と②の合計額

①　課税仕入れ等に係る特定収入の合計額 × $\frac{7.8}{110}$（注２）

②（課税仕入れ等の税額の合計額−①）×調整割合

（注２）軽減対象課税資産の譲渡等に係るものである場合又は軽減対象課税貨物に係るものである場合には、108分の6.24

(2)　個別対応方式の場合

①から③の合計額

①　課税資産の譲渡等にのみ要する課税仕入れ等に係る特定収入の合計額 × $\frac{7.8}{110}$（注２）

②　課税資産の譲渡等とその他の資産の譲渡等に共通して要する課税仕入れ等に係る特定収入の合計額 × $\frac{7.8}{110}$（注２）×課税売上割合

③〔課税仕入れ等の税額の合計額−（①＋②）〕×調整割合

(3)　一括比例配分方式の場合

①と②の合計額

①　課税仕入れ等に係る特定収入の合計額 × $\frac{7.8}{110}$（注２）×課税売上割合

②（課税仕入れ等の税額の合計額−①）×調整割合

３．控除しきれない場合（法60⑤）

重要度○

調整税額を課税仕入れ等の税額の合計額から控除して控除しきれない金額は、課税資産の譲渡等に係る消費税額とみなして、課税標準額に対する消費税額に加算する。

４．用語の意義（法60④、令75①③④）

重要度△

(1) 特定収入

資産の譲渡等の対価以外の収入（次のものを除く。）をいう。

① 借入金及び債券の発行に係る収入で、法令においてその返済等のため補助金等の交付を受けることが規定されているもの以外のもの（借入金等）
② 出資金
③ 預金、貯金及び預り金
④ 貸付回収金
⑤ 返還金及び還付金
⑥ 法令等において、特定支出のためにのみ使用することとされている収入

(2) 特定収入割合

その課税期間の**資産の譲渡等の対価の額**の合計額に**特定収入**の合計額を加算した金額のうちにその**特定収入**の合計額の占める割合をいう。

(3) 課税仕入れ等に係る特定収入

特定収入のうち、法令等において次の支出のためにのみ使用することとされている部分をいう。

① 課税仕入れに係る支払対価の額に係る支出
② 特定課税仕入れに係る支払対価等の額に係る支出
③ 課税貨物の引取価額に係る支出

(4) 調整割合

その課税期間の**資産の譲渡等の対価の額**の合計額に**その他の特定収入**（注３）の合計額を加算した金額のうちに**その他の特定収入**（注３）の合計額の占める割合をいう。

（注３）課税仕入れ等に係る特定収入以外の特定収入をいう。

参考　人格のない社団等（法２①七、３）

(1) 人格のない社団等とは、法人でない社団又は財団で代表者又は管理人の定めがあるものをいう。
(2) 人格のない社団等は、法人とみなして、消費税法の規定を適用する。

5−6 小規模事業者に係る税額控除に関する経過措置（2割特例）

1．2割特例（法附則51の2①②）　重要度◎

(1) 内　容

適格請求書発行事業者（その課税期間の初日において恒久的施設を有しない国外事業者を除く。）の令和5年10月1日から令和8年9月30日までの日の属する課税期間（適格請求書発行事業者の登録、課税事業者選択届出書の提出又は相続年の納税義務の免除の特例の適用がなかったとしたならば免税事業者となる課税期間に限るものとし、一定の課税期間を除く。）については、**課税標準額に対する消費税額から控除することができる課税仕入れ等の税額の合計額は**、原則にかかわらず、**特別控除税額**とすることができる。

この場合において、その**特別控除税額**は、その課税期間の**仕入れに係る消費税額**とみなす。

(2) 一定の課税期間

① 令和5年10月1日の属する課税期間であって同日前から引き続き課税事業者の選択の適用を受ける課税期間

② 課税事業者の選択による強制適用期間に調整対象固定資産の仕入れ等を行った場合におけるその仕入れ等の日の属する課税期間の翌課税期間からその仕入れ等の日の属する課税期間の初日以後3年を経過する日の属する課税期間までの各課税期間

③ 登録開始日の前日までに相続があったことにより相続年の納税義務の免除の特例の適用を受ける課税期間

④ **課税期間の特例**の適用を受ける課税期間

(3) 特別控除税額

課税資産の譲渡等（特定資産の譲渡等及び消費税が免除されるものを除く。）に係る課税標準である金額の合計額に対する消費税額から売上げに係る対価の返還等の金額に係る消費税額の合計額を控除した残額の**100分の80**に相当する金額

2．付記事項（法附則51の2③）

重要度◎

この規定の適用を受けようとする事業者は、確定申告書にその旨を付記するものとする。

3．簡易課税制度の適用（法附則51の2⑥）

重要度◎

1の適用を受けた事業者が、簡易課税制度選択届出書をその適用を受けた課税期間の翌課税期間中に納税地の所轄税務署長に提出した場合において、提出日の属する課税期間について簡易課税の適用を受ける旨を記載したときは、その課税期間の初日の前日に税務署長に提出したものとみなす。

5−7 定　義

１．国　内（法２①一）　重要度○

消費税法の施行地をいう。

２．事業者（法２①三、四）　重要度○

個人事業者（事業を行う個人をいう。）及び法人をいう。

３．国外事業者（法２①四の二）　重要度○

非居住者である個人事業者及び外国法人をいう。

４．合併法人（法２①五）　重要度△

合併後存続する法人又は合併により設立された法人をいう。

５．被合併法人（法２①五の二）　重要度△

合併により消滅した法人をいう。

６．分割法人（法２①六）　重要度△

分割をした法人をいう。

７．分割承継法人（法２①六の二）　重要度△

分割により分割法人の事業を承継した法人をいう。

８．人格のない社団等（法２①七）　重要度○

法人でない社団又は財団で代表者又は管理人の定めがあるものをいう。

９．適格請求書発行事業者（法２①七の二）　重要度◎

適格請求書の交付をしようとすることにつき、税務署長の登録を受けた事業者をいう。

10. 資産の譲渡等（法２①八）　重要度◎

事業として対価を得て行われる資産の譲渡及び貸付け並びに役務の提供（代物弁済による資産の譲渡その他対価を得て行われる資産の譲渡若しくは貸付け又は役務の提供に類する行為として一定のものを含む。）をいう。

11. 特定資産の譲渡等（法２①八の二）　重要度◎

事業者向け電気通信利用役務の提供及び特定役務の提供をいう。

12. 電気通信利用役務の提供（法２①八の三）　重要度◎

資産の譲渡等のうち、電気通信回線を介して行われる著作物の提供その他の電気通信回線を介して行われる役務の提供（電話、電信その他の通信設備を用いて他人の通信を媒介するものを除く。）であって、他の資産の譲渡等の結果の通知その他の他の資産の譲渡等に付随して行われるもの以外のものをいう。

13. 事業者向け電気通信利用役務の提供（法２①八の四）　重要度◎

国外事業者が行う電気通信利用役務の提供のうち、その役務の性質又は取引条件等からその役務の提供を受ける者が通常事業者に限られるものをいう。

14. 特定役務の提供（法２①八の五、令２の２）　重要度◎

資産の譲渡等のうち、国外事業者が行う演劇その他の一定の役務の提供(注１、２)をいう。

（注１）映画等の俳優、音楽家その他の芸能人又は職業運動家の役務の提供のうち、国外事業者が他の事業者に対して行うもの（不特定多数の者に対して行うものを除く。）とする。

（注２）電気通信利用役務の提供を除く。

15. 課税資産の譲渡等（法２①九）　重要度◎

資産の譲渡等のうち、国内取引の非課税の規定により消費税を課さないこととされるもの以外のものをいう。

16. 軽減対象課税資産の譲渡等（法２①九の二）　重要度◎

課税資産の譲渡等のうち、軽減税率の対象となる飲食料品及び新聞の譲渡をいう。

17. 外国貨物（法２①十）　重要度○

輸出の許可を受けた貨物及び外国から本邦に到着した貨物で輸入が許可される前のものをいう。

18. 課税貨物（法2①十一） 重要度○

保税地域から引き取られる**外国貨物**のうち、**輸入取引の非課税**の規定により消費税を課さないこととされるもの以外のものをいう。

19. 軽減対象課税貨物（法2①十一の二） 重要度○

課税貨物のうち、軽減税率の対象となる**飲食料品**をいう。

20. 課税仕入れ（法2①十二） 重要度◎

事業者が、事業として**他の者**から資産を譲り受け、若しくは借り受け、又は役務の提供（注1）を受けること（注2）をいう。

（注1）所得税法に規定する給与等を対価とする役務の提供を除く。

（注2）**他の者**が事業としてその資産を譲り渡し、若しくは貸し付け、又はその役務の提供をしたとした場合に**課税資産の譲渡等**（消費税が免除されるものを除く。）に該当することとなるものに限る。

21. 基準期間（法2①十四） 重要度◎

(1) **個人事業者**

その年の**前々年**

(2) **法　人**

その事業年度の**前々事業年度**（注）

（注）前々事業年度が1年未満の場合には、その事業年度開始の日の**2年前**の日の前日から**1年**を経過する日までの間に開始した各事業年度を合わせた期間

22. 棚卸資産（法2①十五、令4） 重要度○

商品、製品、半製品、仕掛品、原材料その他の資産で棚卸をすべきものをいう。

23. 調整対象固定資産（法2①十六、令5） 重要度○

棚卸資産以外の資産で建物、構築物、鉱業権その他の資産のうち、次の金額が一の取引単位につき**100万円以上**のものをいう。

(1) 課税仕入れ（特定課税仕入れを除く。）**に係る支払対価の額**の**110分の100**に相当する金額

(2) 特定課税仕入れに係る支払対価の額

(3) 保税地域から引き取られるその資産の課税標準である金額

税理士受験シリーズ

2025年《ねん》度《ど》版《ばん》　41　消《しょう》費《ひ》税《ぜい》法《ほう》　理《り》論《ろん》マスター

（昭和60年度版　1985年１月10日　初版　第１刷発行）

2024年８月28日　初　版　第１刷発行

編著者　ＴＡＣ株式会社
（税理士講座）

発行者　多田敏男

発行所　ＴＡＣ株式会社　出版事業部
（ＴＡＣ出版）

〒101-8383
東京都千代田区神田三崎町3-2-18
電話03(5276)9492(営業)
FAX 03(5276)9674
https://shuppan.tac-school.co.jp

印刷　株式会社ワコー

製本　株式会社常川製本

ISBN 978-4-300-11341-7
N.D.C. 336

税理士講座のご案内

「税理士」の扉を開くカギ

それは、合格できる教育機関を決めること!

あなたが教育機関を決める最大の決め手は何ですか?
通いやすさ、受講料、評判、規模、いろいろと検討事項はありますが、一番の決め手となること、それは「合格できるか」です。
TACは、税理士講座開講以来今日までの40年以上、「受講生を合格に導く」ことを常に考え続けてきました。そして、「最小の努力で最大の効果を発揮する、良質なコンテンツの提供」をもって多数の合格者を輩出し、今も厚い信頼と支持をいただいております。

東京会場　ホテルニューオータニ

合格者から「喜びの声」を多数お寄せいただいています。

https://www.tac-school.co.jp/kouza_zeiri/zeiri_jisseki.html

料請求は
ちらから!!

詳しい資料をお送りいたします。
右記電話番号もしくはTACホームページ
(https://www.tac-school.co.jp/)にてご請求ください。

通話無料 0120-509《ゴウカク》-117《イイナ》
受付時間 10:00～19:00(月～金) 10:00～17:00(土･日･祝)
※営業時間短縮の場合がございます。詳細はHPでご確認ください。

“入学前サポート”を活用しよう!

無料セミナー &個別受講相談

無料セミナーでは、税理士の魅力、試験制度、科目選択の方法や合格のポイントをお伝えしていきます。セミナー終了後は、個別受講相談でみなさんの疑問や不安を解消します。

TAC 税理士 セミナー 検索

https://www.tac-school.co.jp/kouza_zeiri/zeiri_gd_gd.htm

無料Webセミナー

TAC動画チャンネルでは、校舎で開催しているセミナーのほか、Web限定のセミナーも多数配信しています。受講前にご活用ください。

TAC 税理士 動画 検索

https://www.tac-school.co.jp/kouza_zeiri/tacchannel.html

体験入学

教室講座開講日（初回講義）は、お申込み前でも無料で講義を体験できます。講師の熱意や校舎の雰囲気を是非体感してください。

TAC 税理士 体験 検索

https://www.tac-school.co.jp/kouza_zeiri/zeiri_gd_taiken.html

税理士11科目 Web体験

「税理士11科目Web体験」では、TAC税理士講座で開講する各科目・コースの初回講義をWeb視聴いただけるサービスです。講義の分かりやすさを確認いただき、学習のイメージを膨らませてください。

TAC 税理士 検索

https://www.tac-school.co.jp/kouza_zeiri/taiken_form.html

料請求は
ちらから!!

詳しい資料をお送りいたします。
右記電話番号もしくはTACホームページ
(https://www.tac-school.co.jp/)にてご請求ください。

通話無料 **0120-509《ゴウカク》-117《イイナ》**
受付時間　10:00～19:00(月～金)　10:00～17:00(土・日・祝)
※営業時間短縮の場合がございます。詳細はHPでご確認ください。

全国公開模試

6月中旬実施!

全11科目実施

TACの模試はここがスゴイ!

1 信頼の母集団
2023年の受験者数は、会場受験・自宅受験合わせて10,316名!この大きな母集団を分母とした正確な成績(順位)を把握できます。

信頼できる実力判定

10,316名が受験!
※11科目延べ人数

2 本試験を擬似体験
全国の会場で緊迫した雰囲気の中「真の実力」が発揮できるかチャレンジ!

3 個人成績表
現時点での全国順位を確認するとともに「講評」等を通じて本試験までの学習の方向性が定まります。

4 充実のアフターフォロー
解説Web講義を無料配信。また、質問電話による疑問点の解消も可能です。
※TACの受講生はカリキュラム内に全国公開模試の受験料が含まれています(一部期別申込を除く)。

直前オプション講座

最後まで油断しない!
ここからのプラス5点!

6月中旬～8月上旬実施!

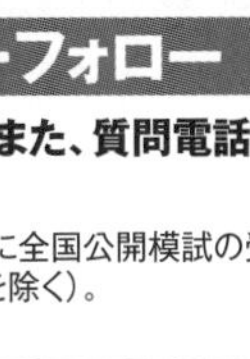

【重要理論確認ゼミ】
～理論問題の解答作成力UP!～

【ファイナルチェック】
～確実な5点UPを目指す!～

【最終アシストゼミ】
～本試験直前の総仕上げ!～

国公開模試および直前オプション講座の詳細は4月中旬発刊予定の
全国公開模試パンフレット」「直前オプション講座パンフレット」をご覧ください。

TAC出版 書籍のご案内

TAC出版では、資格の学校TAC各講座の定評ある執筆陣による資格試験の参考書をはじめ、資格取得者の開業法や仕事術、実務書、ビジネス書、一般書などを発行しています！

TAC出版の書籍

＊一部書籍は、早稲田経営出版のブランドにて刊行しております。

資格・検定試験の受験対策書籍

- 日商簿記検定
- 建設業経理士
- 全経簿記上級
- 税　理　士
- 公認会計士
- 社会保険労務士
- 中小企業診断士
- 証券アナリスト
- ファイナンシャルプランナー(FP)
- 証券外務員
- 貸金業務取扱主任者
- 不動産鑑定士
- 宅地建物取引士
- 賃貸不動産経営管理士
- マンション管理士
- 管理業務主任者
- 司法書士
- 行政書士
- 司法試験
- 弁理士
- 公務員試験(大卒程度・高卒者)
- 情報処理試験
- 介護福祉士
- ケアマネジャー
- 電験三種　ほか

実務書・ビジネス書

- 会計実務、税法、税務、経理
- 総務、労務、人事
- ビジネススキル、マナー、就職、自己啓発
- 資格取得者の開業法、仕事術、営業術

一般書・エンタメ書

- ファッション
- エッセイ、レシピ
- スポーツ
- 旅行ガイド（おとな旅プレミアム/旅コン）

書籍の正誤に関するご確認とお問合せについて

書籍の記載内容に誤りではないかと思われる箇所がございましたら、以下の手順にてご確認とお問合せをしてくださいますよう、お願い申し上げます。
なお、正誤のお問合せ以外の**書籍内容に関する解説および受験指導などは、一切行っておりません。**
そのようなお問合せにつきましては、お答えいたしかねますので、あらかじめご了承ください。

1 「Cyber Book Store」にて正誤表を確認する

TAC出版書籍販売サイト「Cyber Book Store」の
トップページ内「正誤表」コーナーにて、正誤表をご確認ください。

CYBER TAC出版書籍販売サイト BOOK STORE

URL:https://bookstore.tac-school.co.jp/

2 1の正誤表がない、あるいは正誤表に該当箇所の記載がない ⇒ 下記①、②のどちらかの方法で文書にて問合せをする

★ご注意ください★

お電話でのお問合せは、お受けいたしません。
①、②のどちらの方法でも、お問合せの際には、「お名前」とともに、
「対象の書籍名(○級・第○回対策も含む)およびその版数(第○版・○○年度版など)」
「お問合せ該当箇所の頁数と行数」
「誤りと思われる記載」
「正しいとお考えになる記載とその根拠」
を明記してください。
なお、回答までに1週間前後を要する場合もございます。あらかじめご了承ください。

① ウェブページ「Cyber Book Store」内の「お問合せフォーム」より問合せをする

【お問合せフォームアドレス】

https://bookstore.tac-school.co.jp/inquiry/

② メールにより問合せをする

【メール宛先 TAC出版】

syuppan-h@tac-school.co.jp

※土日祝日はお問合せ対応をおこなっておりません。
※正誤のお問合せ対応は、該当書籍の改訂版刊行月末日までといたします。

乱丁・落丁による交換は、該当書籍の改訂版刊行月末日までといたします。なお、書籍の在庫状況等により、お受けできない場合もございます。
また、各種本試験の実施の延期、中止を理由とした本書の返品はお受けいたしません。返金もいたしかねますので、あらかじめご了承くださいますようお願い申し上げます。

(2022年7月現在)